改訂版

\書いて覚える/

文部科学省後援

英 検®

準 2 級

合格ノート

音声DL版

松本恵美子
Matsumoto Emiko

高橋書店

はじめに

みなさん，こんにちは。

著者の松本恵美子です。

普段は大学で英語の先生をしています。

みなさんは英語の勉強をするのは得意ですか？

今私が教えている優秀な大学生たちの多くは，中学，高校で英語の勉強を頑張っていました。

彼らと話をしていると「授業で先生が言っている内容はわかったけれども，その予習，復習のために自分ひとりで勉強をするのは苦手だった」という声をよくききます。

英語の勉強に近道はありません。でも，それぞれが好きだと思えるテキストを使ったり，好きな文房具をそろえたり，自分に合った勉強方法にすることで，勉強が長続きしやすくなります。

本書は，英検合格を目指す人たちのニーズのうち，「ひとりでも勉強したい」，「好きなテキストを見つけたい」というリクエストに応えた教材です。みなさんのお悩みを解決すべく，取り組みやすい形式にしています。

楽しく勉強したいみなさんのための，楽しいイラスト付きの使いやすいノート，それが本書『英検合格ノート』です。

お気に入りの場所に座って，お気に入りのシャープペンを持って，最初のページを解いてみてください。ほら，スラスラと書き込めるでしょう。

ページをサクサクめくっていく間に，自然に実力がつくようになっています。

本書を使って，英語がもっと好きになってもらえることを祈っています。

松 本 恵 美 子

CONTENTS

＊解答解説は, 別冊にあります。

編集協力	株式会社カルチャー・プロ（中村淳一/佐々木淳）	DTP	株式会社シーアンドシー
イラスト	pum	校正	株式会社ぷれす
ブックデザイン	喜來詩織（エントツ）	録音	ユニバ合同会社
		ナレーター	ドミニク・アレン/クリス・コプロスキー
			アン・スレーター/芦澤亜希子

本書の使い方

黄色い下線がある箇所は、書きこみ欄です。書きこんで、大事なところを覚えましょう

本番そっくりの問題を解き、マークシートを塗りましょう

覚えておきたい単語などを自由に書き込んで、自分だけの対策ノートを作りましょう

① 答え合わせ

答え合わせはとても重要です。苦手を発見し、間違えた箇所は解きなおしましょう。

解答解説は別冊になっています。別冊は軽くのり付けされているので、そっと手前に引き抜くと取り外せます。

パッと見て答えがわかるので、答え合わせがラクラク

② 音声

上のマークがあるところは，音声が収録されています。
音声を聞いて，リスニングと二次試験（面接）をリアルに練習しましょう。

音声について

下の二次元コードを読み取るか、URLの専用サイトにアクセスしてください。

［ダウンロードの手順］
①お使いの書籍を選択。
②パスワード入力欄に「27626」と入力する。
③「全音声をダウンロードする」をクリックする。

----

https://www.
takahashishoten.co.jp/
audio-dl/eiken/

※音声データは圧縮されたMP3形式です。再生にはファイル解凍ソフトと音声再生ソフトが必要です。
　お客様のご利用端末の環境により音声のダウンロード・再生ができない場合は，当社は責任を負いかねます。
　ご理解，ご了承いただきますよう，お願いいたします。
※パソコン・スマホ等の操作に関するご質問にはお答えできません。

③ 模擬試験

最後の総仕上げに，模擬試験を解きましょう。
模擬試験は，英検本番の形式と同じですから，記載されている制限時間を守って，本番のつもりで解きましょう。

解答用紙は，別冊の最後のページにあります。切り離して使ってください。

模擬試験

答えは別冊 P 33～44

本番と同じ形式の模擬試験です。
本番の練習になるように，次の3つを守って解きましょう。
① 筆記試験（92～104ページ）は，80分で解く。
② リスニングテスト（106～109ページ）は，音声を止めないで解く。
③ 筆記試験からリスニングテストまで通して解く。
※解答用紙は別冊の最後のページにあります。

1 次の (1) から (15) までの (　　) に入れるのに最も適切なものを1, 2, 3, 4の中から一つ選び，その番号を解答用紙の所定欄にマークしなさい。

(1) Yesterday, Ann's (　　　　) let her go home early because she looked really tired.
　　1 patient　　2 actor　　3 boss　　4 poet

(2) Don't worry about your (　　　　), Mike. Just try again!
　　1 failure　　2 sunrise　　3 signal　　4 recipe

(3) A: Look at the steak Jeff is eating!
　　B: Yes, it's not just large. It's also very (　　　　).
　　1 central　　2 thick　　3 innocent　　4 brave

(4) A: I'm (　　　　) sorry about the mistake, Mr. Keller.
　　B: That's all right. But never do it again.
　　1 terribly　　2 recently　　3 commonly　　4 currently

(5) A: Will it be hot tomorrow?
　　B: Yes. The weather forecast said the highest would be 35 (　　　　).
　　1 elements　　2 temperatures　　3 heights　　4 degrees

(6) The population of our country is (　　　　) year by year.
　　1 solving　　2 spilling　　3 decreasing　　4 conducting

(7) The group is (　　　　) money to help people in the hurricane-hit area.
　　1 decorating　　2 raising　　3 insisting　　4 explaining

(8) Jenny went to the (　　　　) this morning to buy some vegetables.
　　1 race　　2 market　　3 closet　　4 stairs

(9) You need at least three years of experience to (　　　　) for this position.
　　1 hide　　2 provide　　3 apply　　4 engage

受 験 ガ イ ド

初めての「英検」でも安心して受験できるように，
受験の前に知っておきたいことをまとめました。

特徴・メリット

文部科学省が後援
実用英語の力を育てる7つの級を設定。
学習進度やレベルに応じた
学習目標として最適です。

スピーキング測定
スピーキングを含む4技能を測定。
「使える英語」であなたの
コミュニケーションを広げます。

入試優遇・単位認定
「英検」取得者は
多くの高校・大学の入学試験や
単位認定で優遇されています。

「英検」で海外留学
「英検」は，世界各国の教育機関で海外留学時
の語学力証明資格に認定されています。
「英検」資格で，世界へ羽ばたく道が広がります。

準2級の出題レベル・試験内容

準2級の出題レベルの目安は「高校中級程度」とされています。
準2級には，一次試験と二次試験があります。一次試験は筆記とリスニング，
二次試験は面接です。一次試験に合格すると，二次試験が受験できます。

〈 一次試験の内容 〉		形式	問題数
筆記 （80分）	大問1	短文の語句空所補充	15
	大問2	会話文の文空所補充	5
	大問3	長文の語句空所補充	2
	大問4	長文の内容一致選択	7
	大問5,6	ライティング（Eメール, 英作文）	2
リスニング （約25分）	第1部	会話の応答文選択	10
	第2部	会話の内容一致選択	10
	第3部	文の内容一致選択	10

※大問5,6 ライティング
は記述式,その他の問題
は選択肢から答えを選
ぶマークシート方式です。

受験日・受験地

すべての級で，年3回試験が実施されます。第1回は（一次試験 6月／二次試験 7月），
第2回は（一次試験 10月／二次試験 11月），第3回は（一次試験 1月／二次試験 2月）です。
申し込みの締め切りは，一次試験のおよそ1か月前です。全国で試験が実施されているので，
多くの場合，自宅の近くの会場や自分の通う学校で受験できます。

申し込み方法

申し込みには，団体申し込みと個人申し込みの2通りの方法があります。

団体申し込みの場合

学生の場合は，自分が通っている学校で団体申し込みをする場合が多いので，
まずは学校の先生に聞いてみましょう。団体申し込みの場合は，
先生からもらった願書に記入し，先生を通じて願書と検定料を送ります。

個人申し込みの場合

次の3つの方法で，だれでも申し込めます。

● **インターネット申し込み**
「英検」のウェブサイト（https://www.eiken.or.jp/eiken/）から申し込む。

● **コンビニ申し込み**
ローソン，ミニストップ，セブン－イレブン，ファミリーマートなどに
設置されている情報端末機から申し込む。

● **特約書店申し込み**
願書付「英検」パンフレットを無料配布している特約書店で申し込む。

受験や申し込みに関するお問い合わせは，公益財団法人 日本英語検定協会まで
● 「英検」協会公式ウェブサイト https://www.eiken.or.jp/eiken/
● 「英検」サービスセンター TEL 03-3266-8311（個人受付）

一次試験当日の持ち物／チェック・リスト

□ **一次受験票** —— 写真（タテ3cm×ヨコ2.4cm）を必ず貼りつけること
□ **身分証明書** —— 学生証・運転免許証・健康保険証（コピー可）・パスポートなど
□ **HBの黒鉛筆2・3本，またはシャープペンシル**
　　—— マークしやすいものを選ぼう
□ **消しゴム**
□ **腕時計** —— スマートフォン，スマートウォッチ，タイマーつきの時計は，試験中は使
　　えません。アラームなどの音の出る設定は必ず解除しておこう
□ **スリッパ** —— 会場によっては必要なので，受験票に書いてあれば持っていこう

出題形式

ここで,準2級の出題内容を確認しておきましょう。
※試験内容等は変わる場合があります。

筆記 ◀ 80分, 31問 ▶

大問1

短文の語句空所補充〈15問〉

短い文や,会話文の中の(　　)に適する語句を4つの選択肢の中から選びます。

> **1** 次の (1) から (15) までの (　　) に入れるのに最も適切なものを 1, 2, 3, 4の中から一つ選び,その番号を解答用紙の所定欄にマークしなさい。
>
> (1) Yesterday, Ann's (　　) let her go home early because she looked really tired.
> 　　1 patient　　2 actor　　3 boss　　4 poet
>
> (2) Don't worry about your (　　), Mike. Just try again!
> 　　1 failure　　2 sunrise　　3 signal　　4 recipe

大問2

会話文の文空所補充〈5問〉

会話文の中の(　　)に適する文または文の一部を,4つの選択肢の中から選ぶ問題です。

> **2** 次の四つの会話文を完成させるために, (16) から (20) に入るものとして最も適切なものを 1, 2, 3, 4 の中から一つ選び,その番号を解答用紙の所定欄にマークしなさい。
>
> (16) A: Excuse me. Here are two AC adapters. Why is this one much more expensive?
> B: You can use this one in almost all countries around the world.
> A: I have no plan to go abroad. So, (16)
> B: That's a good idea if you're going to use it just in this country.

大問3

長文の語句空所補充〈2問〉

長文の文中にある(　　)に適する語句を選択肢から選ぶ問題です。

> **3** 次の英文を読み,その文意にそって (21) と (22) の (　　) に入れるのに最も適切なものを 1, 2, 3, 4 の中から一つ選び,その番号を解答用紙の所定欄にマークしなさい。
>
> **Lucy's favorite Picture Book**
> When Lucy was a little girl, her mother read picture books to her every night. Lucy loved listening to her mother tell stories in her gentle voice. Lucy's favorite was a story about a boy and a bird. In the story, the boy found an injured bird in the forest and (21) until it got well enough to fly in the

---

大問4

長文の内容一致選択〈7問〉

長文は,Ａ Eメールと Ｂ 説明文の2題が出題されます。長文の内容に関する質問の答えとして,もっとも正しいものを選択肢から選ぶ問題です。

> **4** 次の英文 Ａ, Ｂ の内容に関して, (23) から (29) までの質問に対して最も適切なもの,または文を完成させるのに最も適切なものを 1, 2, 3, 4 の中から一つ選び,その番号を解答用紙の所定欄にマークしなさい。
>
> From: Andy Baker <andy-baker@worldmail.com>
> To: Jessica Williams <jessica-williams@homemail.com>
> Date: June 14
> Subject: Food festival
>
> Hi Jessica,
> I'm sorry you couldn't come to school today. Your mother told me

---

大問5, 6

ライティング（英作文）〈2問〉

2024年度から新たにEメールの返信を書く問題が加わりました（大問5）。語数の目安は40〜50語で,相手への質問などを書きます。

大問6は,英語のQUESTIONについて,あなたの意見とその理由を2つ英文で書く問題です。語数の目安は50〜60語です。

> **5** ライティング （Eメール）
>
> ● あなたは,外国人の知り合い (Ryan) からEメールで質問を受け取りました。この質問にわかりやすく答える返信メールを, ☐ に英文で書きなさい。
> ● あなたが書く返信メールの中で,Ryan のEメール文中の下線部について,あなたがより理解を深めるために,下線部の特徴を問う具体的な質問を2つしなさい。
> ● あなたが書く返信メールの中で ☐ に入れる英文の語数の目安は,40〜50語です。
> ● 解答は,解答用紙のEメール解答欄に書きなさい。なお,解答欄の外に書かれたものは採点されません。
> ● 解答がRyanのEメールに対応していないと判断された場合は, 0点と採点されることがあります。RyanのEメールの内容をよく読んでから答えてください。
> ● ☐ の下のBest wishes の後に,あなたの名前を書く必要はありません。
>
> Hi!
> I just got your e-mail about your birthday party next Saturday. Unfortunately, I have a baseball tournament next weekend, so I can't go. I already promised my teammates that I would participate. It's a very important tournament for our team. However, we can do something together to

リスニング 〈約25分，30問〉

第1部

会話の応答文選択〈10問〉

対話を聞き，そのあとに続く応答を選択肢から選ぶ問題です。対話と選択肢は印刷されておらず，一度しか放送されません。

第1部

No. 1 ～ No. 10　（選択肢は全て放送されます。）

TR 14-23

第2部

会話の内容一致選択〈10問〉

対話と，その内容に関する質問を聞き，その答えとしてもっとも正しいものを選択肢から選ぶ問題です。対話と質問は印刷されておらず，選択肢は印刷されています。対話と質問は一度しか放送されません。

第2部

No. 11
TR 25
1　She found a parking space.
2　A new parking lot will be built.
3　She has bought a new cellphone.
4　Her cellphone was finally found.

No. 12
TR 26
1　He went to the zoo for the first time.
2　He took many pictures.
3　He saw rhinoceroses.
4　He visited his grandmother.

No. 13　1　The amount of money he paid.

第3部

文の内容一致選択〈10問〉

英文と，その内容に関する質問を聞き，その答えとしてもっとも正しいものを選択肢から選ぶ問題です。英文と質問は印刷されておらず，選択肢は印刷されています。英文と質問は一度しか放送されません。

第3部

No. 21
TR 36
1　It tastes like chocolate.
2　Everyone in Australia likes it.
3　Its color is black.
4　It's as popular as butter and jam.

No. 22
TR 37
1　Trade history between Japan and China.
2　Diplomatic relations between Korea and China.
3　Similarity among Asian languages.
4　Chinese food and Japanese food.

No. 23　1　She swims in the lake every day.

面接 〈約6分〉

与えられる問題カードに書かれている英文を音読します。その後，面接委員からされる5つの質問に，英語で答えます。
詳しい内容はP110に書いてありますので，参考にしてください。

Making Your Own Food

Nowadays, there are many recipe sites on the internet. Cooking schools and books for beginners are also popular. Many people think it's important to eat healthy food, so they want to cook their own food. However, some people also eat out almost every day because they are so busy with work.

A

B

PART 1

よく出る動詞①

考える, 活動する

熟語で覚える動詞

○ **decide to ~**　〜する決心をする

I decided (　　　　　　　) make a dancing team. ダンスチームを作る決心をした。

○ **avoid doing**　〜することを避ける

People (　　　　　　) meeting her. 彼女と会うのを避ける。

○ **pay for ~**　〜に対して支払う

I'll pay $30 (　　　　　　) the dress. ドレスに30ドル支払う。

○ **exchange ... for ~**　…を〜と交換する

I'll (　　　　　　) the dress for a smaller size. ドレスを小さいサイズと交換する。

○ **practice doing**　〜する練習をする

I practiced (　　　　　　) the violin.

バイオリンを演奏する練習をした。

○ **worry about ~**　〜を心配する

I worry (　　　　　　) him. 彼を心配する。

(!) **注意!**

fit「(サイズ, 色, 形) が合う」
match「(色, 柄) が調和する」
suit「(色, 服) が似合う」
を使い分けよう

よく出る動詞

arrange	〜を取り決める	solve	〜を解決する	fit	〜にぴったり合う, 〜に適している
spend	(お金, 時間を) 費やす	seem	〜のようだ, 〜のように見える	taste	〜の味がする
smell	〜のにおいがする	wish	〜ならいいのに	accept	〜を受け入れる
explain	(〜を) 説明する	imagine	(〜を) 想像する	notice	(〜に) 気づく
rely	頼る	achieve	〜を達成する	judge	〜を判断する
suggest	〜を提案する	argue	〜と主張する	admit	〜を認める

I (　　　　　　) a meeting. ミーティングを取り決める。

I (　　　　　　) a difficult problem. 難しい問題を解決した。

This dress (　　　　　　) me well. このドレスは私にぴったり合う。

I (　　　　　　) 2 hours watching videos.

動画を見るのに2時間を費やした。

He (　　　　　　) to be sick. 彼は病気のようだ。

These cookies (　　　　　　) good. これらのクッキーはおいしい。

It (　　　　　　) good. いいにおいがする。

I (　　　　　　) you were here. あなたがここにいればいいのに。

💡 **覚えよう**

seem, taste, smell
などは「知覚動詞」と
よばれ, be動詞のよう
な使い方をします
These cookies
are good.
These cookies
taste good.

答えは別冊P1

次の **(1)** から **(6)** までの（　　）に入れるのに最も適切なものを**1,2,3,4**の中から一つ選びなさい。

(1)　A: Clothes, bags, and shoes .... Did you buy all of them today? How much did they (　　)?

　　　B: About 90 dollars. Not so much, right?

　　1　gain　　　**2**　cost　　　**3**　pay　　　**4**　earn　　　①②③④

(2)　My dream is to be an actor. Though I don't pass auditions very often, my mother always (　　) me not to give up.

　　1　minds　　　　　　**2**　manages

　　3　encourages　　　**4**　threatens　　　①②③④

(3)　A: Honey, look at this rug. Do you think it matches our sofa?

　　　B: Yeah, but it won't (　　) in our living room. It's too large.

　　1　match　　**2**　suit　　**3**　fit　　**4**　become　　　①②③④

(4)　A: I saw the movie you (　　) last night. It was really exciting.

　　　B: I'm glad you liked it. I'm going to see a new movie. Would you like to come with me?

　　1　accepted　　　**2**　minded

　　3　advised　　　**4**　recommended　　　①②③④

(5)　A: Where is Alice?

　　　B: She was at her desk until just a minute ago. I didn't (　　) her leave the room.

　　1　notice　　**2**　follow　　**3**　obey　　**4**　warn　　　①②③④

(6)　The doctor instructed me to go on a diet for my health, so I (　　) foods with a lot of carbohydrates.

　　1　avoid　　**2**　cure　　**3**　bear　　**4**　decrease　　　①②③④

PART 2

よく出る動詞②
反対の意味とセットで覚える

反対の意味とセットで覚える動詞

（　　　　　）　⟷　**disagree**
賛成する　　　　　反対する

appear　⟷　（　　　　　）
出現する　　　　消滅する

（　　　　）　⟷　**miss**
〜をつかまえる　　〜し損なう, いなくてさみしく思う

（　　　　）　⟷　**exclude**
〜を含む　　　　〜を除外する

（　　　　）　⟷　**decrease**
増加する, 〜を増やす　　減る, 〜を減らす

pass　⟷　（　　　　）
合格する　　　　不合格になる

praise　⟷　**criticize**
〜をほめる　　　〜を批判する

（　　　　）　⟷　**consume**
〜を生産する　　〜を消費する

arrive　⟷　（　　　　　）
到着する　　　〜を出発する
　　　　　　　depart
　　　　　　　出発する

（　　　　）　⟷　**lose**
勝つ　　　　　　負ける, 〜を失う
gain
得る

lend　⟷　**borrow**
〜を貸す　　　〜を借りる

hire　⟷　（　　　　　）
〜を雇う　　　〜を解雇する
employ　⟷　**dismiss**
〜を雇う　　　〜を解雇する

💡 **覚えよう**

接頭語disは「離れて」という意味。
dis＋agree（賛成から離れる）→反対する
dis＋appear（出現から離れる）→消滅する

💡 **覚えよう**

接頭語
in（中に）
ex（外に）

⚠ **注意!**

rentは「（お金を払って）〜を賃借りする」

次の *(1)* から *(6)* までの（　　）に入れるのに最も適切なものを**1,2,3,4**の中から一つ選びなさい。

(1) She always does something nobody else wants to do. She
is such a person we all (　　).

1 agree 　　　**2** praise 　　　**3** allow 　　　**4** advise 　　　①②③④

(2) Ms. Wilson, due to her sickness, is going to be absent from
work for two months. So I have to (　　) somebody else
for part-time.

1 quit 　　　**2** fire 　　　**3** hire 　　　**4** explore 　　　①②③④

(3) I think this gossip article is true. But I cannot (　　) the
possibility that it may not be.

1 deny 　　　**2** punish 　　　**3** pretend 　　　**4** create 　　　①②③④

(4) The number of PC users is (　　) as more and more
people do everything on their smartphones.

1 increasing 　　　　　**2** collecting
3 improving 　　　　　**4** decreasing 　　　①②③④

(5) A lot of people have been (　　) the government for failing
to keep campaign promises it made.

1 whispering 　　　　　**2** complaining
3 admitting 　　　　　**4** criticizing 　　　①②③④

(6) Joan was recognized for her performance in the branch shop.
She was (　　) a new position at the main shop.

1 employed 　　　　　**2** supplied
3 offered 　　　　　**4** improved 　　　①②③④

よく出る動詞 ③
類語とセットで覚える

学習日

/

★理解度
□ カンペキ！
□ もう一度
□ まだまだ…

類語とセットで覚える動詞1

start　始まる, 〜を始める
begin　始まる, 〜を始める

(　　　　　)　〜を終える
complete　〜を完成させる

study　〜を勉強する
(　　　　　)　〜を学ぶ
(　　　　　)　〜を練習する
train　〜を訓練する

hold　〜を手に持つ
carry　〜を持ち運ぶ
help　〜を手伝う
(　　　　　)　〜を支える

give　〜を与える
(　　　　　)　〜を供給する

search　〜を探す
seek　〜を探し求める

(　　　　　)　〜を向上させる
develop　〜を発展させる
(　　　　　)　〜を表現する
display　〜を表示する

travel　旅行する
access　〜にアクセスする

gather　〜を寄せ集める
(　　　　　)　〜を集める

(　　　　　)　〜を描く
paint　〜を（筆で）塗る

apologize　謝る
(　　　　　)　〜を許す

(　　　　　)　〜をデザイン［設計］する
create　〜を創造する
produce　〜を作り出す

(　　　　　)　〜をつなぐ, 〜を接続する
combine　〜を結び付ける
unite　〜を結合する, 〜を団結させる

(　　　　　)　〜を選択する
pick　〜を摘み取る, 〜を選ぶ
select　〜を選択する

(　　　　　)　〜を説明する
clarify　〜を明らかにする
elucidate　〜を解明する

次の **(1)** から **(6)** までの（　　）に入れるのに最も適切なものを**1,2,3,4**の中から一つ選びなさい。

(1) Mark went outside to (　　) flowers for her mom. She has been sick in bed all day.

1 gather   **2** offer   **3** spread   **4** unite   ①②③④

(2) It's important to (　　) right away when you make someone feel upset.

1 avoid   **2** mind   **3** apologize   **4** forgive   ①②③④

(3) *A:* Come look at my computer. There is a strange message (　　) on the screen.

B: That doesn't look good. You should ask Dad for help.

1 seen   **2** displayed   **3** read   **4** covered   ①②③④

(4) *A:* Jason, you can't leave the house wearing slippers!

B: Oh, I didn't even notice. Can you (　　) the cake while I put my shoes on?

1 borrow   **2** carry   **3** pass   **4** hold   ①②③④

(5) *A:* I heard you got injured in the game last night! What happened?

B: Well, I broke one of the bones that (　　) my knee to my foot. I was at the hospital for hours.

1 makes   **2** builds   **3** connects   **4** combines   ①②③④

(6) I am planning to perform in the school talent show this year. I know that I want to dance, but I haven't (　　) a song yet.

1 practiced   **2** searched   **3** thought   **4** picked   ①②③④

PART 4

学習日
／

★理解度
□ カンペキ！
□ もう一度
□ まだまだ…

よく出る動詞④
類語とセットで覚える，注意すべき動詞

類語とセットで覚える動詞2

- ask 〜を尋ねる
- inquire 〜を尋ねる

- (　　　　　) 〜を許す，〜を認める
- permit 〜を許可する
- let 〜させる，〜することを許す

- injure 〜を傷つける，〜にけがをさせる
- (　　　　　) 〜を傷つける，痛む
- harm 〜に害をおよぼす

- (　　　　　) 〜を決意する
- determine 〜を決意する

- tell 〜に話す
- inform 〜に知らせる
- mention 〜について述べる
- (　　　　　) 〜について話し合う
- insist （〜だと しつこく）主張する
- argue （〜だと）主張する，反対する

re から始まる動詞

repeat	〜を繰り返す	remove	〜を取り除く	replace	〜に取って代わる
refresh	〜を元気づける	repair	〜を直す	respond	返事をする
recover	〜を取り戻す	remind	〜に思い出させる	reject	〜を拒む
	〜を再生利用する		〜を見直す		〜を減らす

注意すべき動詞

face 顔：動詞で「（人や物）に面する」，「（困難など）に直面する」を意味します。

(　　　　　) 〜を固定する：「（日時・場所など）を定める」という意味で使われたり，口語的に「〜を修理する」という意味で使われたりもします。

marry 〜と結婚する：他動詞なので，marry O「Oと結婚する」のように使います。また，get married to 〜「〜と結婚する」という表現もあります。

(　　　　　) 〜だと主張する：日本語での「クレームをつける」は，complain（不平を言う）を使います。

lay 〜を横たえる：lay-laid-laid-layingという活用をします。他動詞であることに注意しましょう。自動詞のlie（横たわる）の活用はlie-lay-lain-lyingです。また，別の意味の自動詞lie（うそをつく）の活用はlie-lied-lied-lyingとなります。

(!) 注意！

× get married with 〜
としないように

(!) 注意！

claimには「不平・不満を言う」という意味合いはありません

次の *(1)* から *(6)* までの（　）に入れるのに最も適切なものを **1,2,3,4** の中から一つ選びなさい。

(1) I didn't know that she was a musician. She has never
（　　）it to me before!

1 realized　　**2** showed　　**3** told　　**4** mentioned　①②③④

(2) People should stop giving bread to the birds in the park.
It can really (　　) their health.

1 recover　　**2** change　　**3** lose　　**4** harm　①②③④

(3) I pass a bakery on the way to my office. The smell always
（　　）me of the cookies my grandma used to bake for
me.

1 tastes　　　　**2** remembers

3 reminds　　　**4** shows　　　　　　　　　　　　①②③④

(4) A stranger came up to me in the street (　　) that I
owed him $500.

1 wanting　　　**2** claiming

3 responding　**4** consisting　　　　　　　　　　①②③④

(5) The baby fell asleep in my arms, so I (　　) her down in
her bed as carefully as I could.

1 laid　　**2** replaced　　**3** dropped　　**4** lied　①②③④

(6) I worked hard on my proposal for months. I couldn't
believe that my boss (　　) it so quickly.

1 argued　　　　**2** encouraged

3 reduced　　　**4** rejected　　　　　　　　　　①②③④

PART 5

よく出る名詞①

教育, 職業

準2級になると，目に見えない抽象的な概念を表す語がとても多く出題されます。「教育」関連の名詞も，3級までは学校の教科がメインだったのが，準2級からは「研究」「能力」などに関する語が加わります。

graduation　experiment　（　　　　　）（　　　　　　）
（　　　　　）（　　　　　　）　才能, 贈り物　インターネット

教育　education

entrance	入学, 入口	examination		fee	授業料, 料金
grade	成績	institute	学校, 研究機関	department	部門, (大学の)学部・学科

研究　research

article	記事	author	筆者		会議, 協議会
discovery			知識	method	方法
project	企画	presentation	発表	document	文書, 記録

能力　ability

chance	機会	effort			経験

テクノロジー　technology

	情報	network	ネットワーク	operation	操作, 手術

職業　job

owner	所有者		教授	principal	校長
expert	専門家	boss	上司	co-worker	同僚, 協力者
	大統領	carpenter	大工	police	警察
engineer	エンジニア	explorer	探検家	sailor	船乗り
actor	俳優		写真家, カメラマン	author	著者, 作家

次の (1) から (6) までの（　　）に入れるのに最も適切なものを1,2,3,4の中から一つ選びなさい。

(1) Alan has been engaged in a wide range of（　　）since his school days. For example, he has taken part in volunteer work on a farm.

1 activities **2** abilities

3 possibilities **4** statements ①②③④

(2) My sister acquired her（　　）of French in Paris, and she is teaching it at the university now.

1 personality **2** knowledge

3 professor **4** technology ①②③④

(3) *A:* Have you read Matthew's science paper? It's amazing.

B: Yes, it really inspired me to make more of（　　）.

1 honor **2** a conclusion

3 an effort **4** effect ①②③④

(4) There are a number of（　　）that we don't have specific medicine for at this time.

1 diseases **2** disasters **3** cancer **4** cold ①②③④

(5) This graph shows more than 60% of the students feel（　　）in their school life. The most serious factor is a relationship with friends.

1 sense **2** skill **3** stress **4** supply ①②③④

(6) *A:* What's the（　　）of the next seminar?

B: "Artistic Culture in the Edo Period." Mr. Smith will make a speech about *kabuki*.

1 theme **2** request **3** prize **4** rumor ①②③④

PART 6 よく出る名詞②
生活, 抽象的なこと

学習日 ／

★理解度
□ カンペキ!
□ もう一度
□ まだまだ…

生活・自然

address	住所		地域,区域	dormitory	寮
lighthouse	灯台		自然,性質	rock	岩
shelter	避難所,住まい	sunlight	日光	cash	現金
	信用,クレジット		価格,物価		予約
sale	販売,特売,セール	tourist	観光客,旅行者	clothes	衣服

抽象的なこと

advantage	有利な点,利益	effect	影響	excuse	言い訳
	事実		未来	mistake	間違い,誤り
	目的		トラブル,悩みの種		理由
result	結果,成果	solution	解決（策）	substance	物質,実質

数・量

century	1世紀,100年	million	100万	amount	量,合計
average		plenty	たくさんの,豊富さ	decade	10年間

apartment
アパート

（　　　　　）
中心,センター

climate
（　　　　　）

（　　　　　　）
海岸,沿岸

factory
（　　　　　）

fossil
（　　　　　）

（　　　　　）
考え,アイデア

secret
（　　　　　）

22

次の *(1)* から *(6)* までの（　　）に入れるのに最も適切なものを**1,2,3,4**の中から一つ選びなさい。

(1)　　*A:* Oh, no! I missed the last train, and I don't have enough
　　　　　money to use a taxi.

　　　　B: I think you can take a night bus. Its （　　） is cheaper
　　　　　than a cab.

　　　　1　debt　　　　**2**　fare　　　　**3**　credit　　　　**4**　account　　　①②③④

(2)　　*A:* Excuse me. I'd like to purchase several of the shirts
　　　　　you have in the show window.

　　　　B: Sorry. There is no stock now, but we can arrange for
　　　　　an order. Please let us know the （　　） you need.

　　　　1　price　　　　**2**　figure　　　　**3**　quality　　　　**4**　quantity　　　①②③④

(3)　　Mr. Scott founded an NGO. Its （　　） is to provide
　　　　educational opportunities for every child in Myanmar.

　　　　1　chance　　　　**2**　cause　　　　**3**　result　　　　**4**　purpose　　　①②③④

(4)　　Attention to （　　）. NAL Airlines flight 474 to Los Angeles
　　　　has been delayed due to bad weather.

　　　　1　clients　　　　　　**2**　passengers

　　　　3　passersby　　　　**4**　riders　　　①②③④

(5)　　*A:* Alan, you're a good friend of mine now. But actually, I
　　　　　got a bad （　　） of you when we first met.

　　　　B: Really? I felt that way too!

　　　　1　sense　　**2**　impression　　**3**　appearance　　**4**　supply　　　①②③④

(6)　　*A:* Excuse me. Which station should I get off to go to at
　　　　　the museum?

　　　　B: I'm afraid you're heading in the wrong （　　）.

　　　　1　direction　　**2**　decision　　**3**　decade　　**4**　distance　　　①②③④

PART 7

よく出る名詞③

心理, 健康, 性質

心理

appreciation	感謝	attitude	態度, 姿勢	imagination	想像
sense	感覚	behavior	態度, ふるまい		興味
	勇気		習慣	honor	名誉
difficulty	困難	faith	信念	expression	表現, 表情
horror	恐怖	belief	信念	influence	影響
	恐れ, 懸念		決断		効果, 影響

健康

	健康	clinic	診療所		頭痛
	薬	death	死	pain	痛み
beauty	美しさ	reaction	反応	issue	問題
disease	病気	brain	脳, 頭脳	emergency	緊急事態
skin	皮膚		胃, 腹		運動, 練習
diet	飲食物, ダイエット	movement	動き, 活動	meal	食事
	温度, 体温		熱		野菜

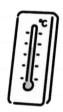

性質

character	性格, 登場人物	nationality	国籍	flavor	風味
	質		人種		世代
shape	形, 状態	strength	強さ, 長所	enemy	敵

次の *(1)* から *(6)* までの（　　）に入れるのに最も適切なものを **1, 2, 3, 4** の中から一つ選びなさい。

(1)　You should always see a doctor if you have a health (　　) that hasn't gone away after a week.

    1　cause   **2**　issue   **3**　improvement   **4**　pain   ①②③④

(2)　*A:* I didn't know Rina could act so well!

    B: Her (　　) was amazing!　She looked like she was feeling everything for real.

    1　expression   **2**　aggression

    3　attitude   **4**　character   ①②③④

(3)　I've started eating five small (　　) a day instead of three.　I don't feel as hungry during the day now.

    1　vegetables   **2**　dishes   **3**　foods   **4**　meals   ①②③④

(4)　*A:* Why did you buy me a gift?　It isn't my birthday.

    B: I just wanted to show my (　　) for all you do.　Thanks.

    1　reaction   **2**　behavior

    3　impression   **4**　appreciation   ①②③④

(5)　The teachers told the students to use their (　　) to finish the story themselves.

    1　activities   **2**　limits

    3　imaginations   **4**　personalities   ①②③④

(6)　A baseball player as talented as he is comes along only once in a (　　).　He will be remembered for a long time.

    1　nationality   **2**　life   **3**　generation   **4**　country   ①②③④

PART 8 よく出る名詞④
余暇・買い物，交通・場所

余暇・買い物

photograph	写真	fashion	流行,ファッション		広告,宣伝
actor	役者	delivery	配送（品）	customer	顧客
event	出来事,イベント	ceremony	式典	discount	割引
	デザート		器具,楽器	receipt	領収書
activity	活動		レシピ	wallet	財布
entertainment	娯楽	aquarium	水槽,水族館	fair	品評会,市
decoration	装飾	celebration	祝賀		市,市場
	展示（会）	attraction	呼び物,アトラクション	aisle	（スーパーや劇場などの）通路

交通・場所

	交通（量）		距離	transportation	交通機関,輸送
vehicle	車,乗り物	route	経路	crowd	群衆,人混み
accident	事故,偶然	avenue	大通り	fuel	燃料
	乗客	corner	角		免許（証）
	眺望,見方	capital	首都,資本	location	場所,位置
countryside	田舎		到着	safety	安全（性）
journey	旅	site	場所,サイト	fare	運賃
resort	リゾート地	track	小道,線路		料金,手数料
adventure	冒険	voyage	航海,長旅		手荷物
memory	記憶（力）,思い出		係員	sign	標識,兆候
	定期航空便,フライト		合図,信号（機）		航行,ナビゲーション

次の (1) から (6) までの（　　）に入れるのに最も適切なものを1,2,3,4の中から一つ選びなさい。

(1)　A: Do you know the (　　　　) of Jason's birthday party?

　　　B: Yeah, it's at the Italian restaurant next to the post office.

　　　1　time　　　**2**　direction　　　**3**　location　　　**4**　plan　　　①②③④

(2)　I have been to this aquarium before, but I think I took a different (　　　) last time. It's taking longer than I remember.

　　　1　car　　　**2**　route　　　**3**　map　　　**4**　return　　　①②③④

(3)　Please call us if you have any problems with the product. There is no additional (　　　) for customer support.

　　　1　help　　　**2**　charge　　　**3**　fare　　　**4**　money　　　①②③④

(4)　They told all of the (　　　) on the plane to switch their phones to airplane mode.

　　　1　repeaters　　　　　**2**　visitors

　　　3　passengers　　　　**4**　customers　　　①②③④

(5)　A: Could you please tell me where the pet food is?

　　　B: Certainly. It's in the next (　　　) beside the cleaning products.

　　　1　aisle　　　**2**　market　　　**3**　store　　　**4**　street　　　①②③④

(6)　I'm thinking about putting an (　　　) for my business in the newspaper. I need to find more customers.

　　　1　advertisement　　　**2**　article

　　　3　activity　　　　　　**4**　artwork　　　①②③④

PART 9

よく出る形容詞・副詞

量・時を表すイディオム

学習日 ／

★理解度
□ カンペキ!
□ もう一度
□ まだまだ…

形容詞

形容詞は名詞を修飾するはたらきがあります。反対の意味の形容詞とセットで覚えましょう。

( ) ⟷ uncomfortable
快適な   居心地の悪い

safe ⟷ dangerous
安全な   危険な

( ) ⟷ difficult
簡単な   困難な

true ⟷ ( )
本当の   間違った

( ) ⟷ cheap
高価な   安い

special ⟷ general
特別な   一般的な

( ) ⟷ noisy
静かな   うるさい

💡 覚えよう

rarely, seldom
「めったに~ない」
頻度を否定

hardly
「ほとんど~ない」
程度を否定

量を表すイディオム

more or less	多かれ少なかれ	a glass of ~	グラス1杯の~
plenty of ~	たくさんの~	a ___ of ~	ひと束の, ひと房の
a number of ~	多くの~, 多数の~	a couple of ~	2, 3の~

時を表すイディオム

so far	今までのところ, そこまでは	at first	初めは
in the ___ place	まず第一に, そもそも	ahead of ~	~に先立って
all the time	いつでも, その間ずっと	all the ___ round	1年中
all at once	突然に, 不意に	after all	結局
in time	間に合って	on time	時間通りに
in the past	これまでに, 昔は	in ___	あらかじめ
right away	ただちに	from now on	今後ずっと

次の **(1)** から **(6)** までの（　）に入れるのに最も適切なものを**1, 2, 3, 4**の中から一つ選びなさい。

(1) She told me that she had obtained a driver's license two years （　）.

1 later　　**2** back　　**3** ahead　　**4** before　　①②③④

(2) A: Honey, I had a call from my brother and he asked me to lend him 3,000 dollars.

B: Again!? Don't lend him （　） of money. He's never paid back his debts.

1 a large number　　**2** much

3 a large amount　　**4** many　　①②③④

(3) My teacher said to us, "You can do anything you want as long as you work （　）."

1 enough hard　　**2** hard enough

3 hard to enough　　**4** enough to hard　　①②③④

(4) I have （　） had anything to eat since morning because I was busy preparing for the meeting.

1 fortunately　　**2** recently

3 rarely　　**4** hardly　　①②③④

(5) A: Craig called you about thirty minutes ago. I didn't wake you up because you were fast （　）.

B: Thanks Dad. I'll call him later.

1 careful　　**2** asleep　　**3** tough　　**4** dull　　①②③④

(6) Last month, Jordan started working as an instructor at a swimming school. He is （　） coaching children under 10 years old.

1 aware of　　**2** responsible for

3 independent of　　**4** worried about　　①②③④

よく出るイディオム①

基本動詞のイディオム

学習日

★理解度
□ カンペキ!
□ もう一度
□ まだまだ…

イディオムとは，動詞が他の語句と一緒になり別の意味を表す熟語のこと。イディオムを覚えておくと，選択問題，長文問題の両方で有利です。

take を含む熟語　takeの基本の意味は「取る」です。

○ **take part in ~** 　~に参加する

I decided to take (　　　　　　　　) in the lunch meeting. ランチミーティングに参加することを決めた。

○ **take a seat** 　座る

Please take a (　　　　　　　　) by the window. 窓際の席に座ってください。

○ **take off ~** 　（身につけていたもの）を脱ぐ，取る

Please take (　　　　　　　　) your coat in the restaurant. レストランではコートを脱いでください。

○ **take a look at ~** 　~を見る

Let me take a look (　　　　　　　　) the menu. メニューを見せて。

○ **take A back to B** 　AをBに返品する

I'll take the shoes (　　　　　　　　) to the shop. 靴をお店に返品します。

○ **take care of ~** 　~の世話をする

I take (　　　　　　　　) of her cat. 彼女の猫の世話をする。

get を含む熟語　getの基本の意味は「得る」です。

○ **get better** 　（病気などが）よくなる，上手になる

He was sick in bed, but now he is getting (　　　　　　　　). 彼は病気だったが，今はよくなりつつある。

○ **get A to do** 　Aに~してもらう

I'll get my sister (　　　　　　　　) help me choose my shoes. 姉に靴を選ぶのを手伝ってもらいます。

○ **get together** 　集まる

Shall we (　　　　　　　　) together with friends? 友達と集まりましょうか。

○ **get away from ~** 　~から逃げる，離れる

I'll get away (　　　　　　　　) the bad habit. 悪い習慣から離れます。

○ **get along with ~** 　~とうまくやっていく

He's easy to get along (　　　　　　　　). 彼はうまくやっていきやすい。

○ **get married** 　結婚する

I'd like to (　　　　　　　　) married to him someday. いつか彼と結婚したいな。

PART
11

よく出るイディオム②

基本動詞のイディオム

学習日
/

★理解度
□カンペキ!
□もう一度
□まだまだ…

go を含む熟語　goの基本の意味は「行く」です。

go (　　　)
先に行く

(　　) through ~
(苦難などを)経験する

go (　　　)
(物事が)うまくいかない,
(機械などが)故障する

(　　) against ~
~に反する,
~に従わない

come を含む熟語　comeの基本の意味は「来る」です。

come up with ~	~を考え出す	come close to ~	危うく~しそうになる
come across ~	~をふと見つける, ~に偶然出会う	come true	実現する
come out	(太陽, 月などが)出る	come along	現れる

make を含む熟語　makeの基本の意味は「作る」です。

make progress	進歩する	make fun of ~	~をからかう
make (that) ~	~であることを確実にする	make sense	意味をなす
make a mistake	間違える	make a decision	決定する, 決意する
make friends ~	~と友達になる	make noise	音を立てる, うるさくする

〈be動詞＋形容詞＋前置詞〉　前置詞までセットで覚えます。

be dependent on ~	~に依存している	be independent of ~	~から独立している
be proud of ~	~を誇りに思う	be for ~	~に対して責任がある
be satisfied with ~	~に満足している	be similar to ~	~と似ている
be of ~	~に飽きている	be different from ~	~と異なる
be familiar with ~	~に精通している	be of ~	~でいっぱいである
be based on ~	~に基づいている	be interested in ~	~に興味がある

31

前置詞
前置詞のはたらきと種類

学習日

／

★理解度
□ カンペキ！
□ もう一度
□ まだまだ…

前置詞は，名詞などの前に置かれて，前置詞句をつくります。前置詞句は，文の中で「修飾語」の役割をします。

💡 覚えよう

前置詞は，「名詞」の前に置かれる詞

基本の前置詞（at, on, in）のイメージ

at は「点」　　　　**on は「接触」**　　　　**in は「含有」**

○　　　　　　

	at	on	in
場所	at the traffic light 信号のところで at the bus stop バス停で	on this street この道に on the wall 壁に	in the room 部屋で in the park 公園で
時	at 8:30 p.m. 午後8時30分に at 6 o'clock　6時に	on Monday　月曜日に on September 5　9月5日に	in the morning　午前中に in summer　夏に in 2010　2010年に

そのほかの前置詞

場所

above	高い所に	over	覆いかぶさって
to	～に向かって		真下に
	中に向かって	out of	～の中から
below	低い所に	by	そばに

時

after	～後に	within	～以内に
for	～間		～以来
	～までずっと	by	～までに
	～の間に	from	～から

PART 13

接続詞

2種類の接続詞

学習日

★理解度
□ カンペキ!
□ もう一度
□ まだまだ…

接続詞は, 2つの「文」を結び付けて1つにします。

接続詞には「等位接続詞」と「従属接続詞」があります。

 覚えよう

either A or B
「AかBか」
neither A nor B
「AもBも～ない」

等位接続詞　対等に結ぶ　ふつう文頭には来ません。

and	そして	but	しかし	for	だから
yet	しかし	nor	～もまた…ない	or	あるいは
so	だから				

I like Sara (　　　　　) she is smart.　私はサラが好きで(そして), 彼女は頭がよいです。

従属接続詞　差をつけて結ぶ　文頭に来ることもあります。

時を表す接続詞

	～するときに	while	～している間に	since	～して以来
after	～した後に	before	～する前に		

原因・目的を表す接続詞

	～なので	as	～なので
now that	今や～なので	so that	～するために

覚えよう

so＋形・副＋that …
such＋名＋that …
「とても～なので…」

条件・譲歩を表す接続詞

	もし～ならば	unless	～しない限り	in case	もし～ならば
although	～にもかかわらず	though	～にもかかわらず		

接続詞がついているほうが**従属節**(時, 理由, 条件を表す),

ついていないほうが**主節**です。

I like Sara (　　　　　　) she is smart.　私はサラが好き, なぜなら頭がよいから。
主節　　　　　　　従属節

(　　　　　　) Sara is smart, I like her.　サラは頭がよいから, 私は彼女が好き。
従属節　　　　　　　　　　　　主節

33

過去完了形・現在完了進行形
動詞のいろいろな時制

過去形　動詞の時制を合わせます。

I <u>thought</u> that she (　　　　　) tired.
　　過去形　　　　　　　　　　　　過去形

私は彼女は疲れていると思いました。

現在完了形　「過去」が「現在」に影響を与えていることを示します。

① 「～してしまった」　動作の完了，その結果としての現在の状態を表す。

My teacher (　　　　) (　　　　) for Madrid.
　　　　　　　〈has+過去分詞〉

MADRID　JAPAN

私の先生はマドリードに向けて出発してしまった。

② 「ずっと～している」　現在までの継続を表す。

I (　　　　) (　　　　) her <u>since</u> she was a college student.
　〈have+過去分詞〉　　　「～から,～以来」

私は彼女が大学生だったときから知っています。

③ 「～したことがある」　現在までの経験を表す。

I (　　　　) (　　　　) this video many times.
　　〈have+過去分詞〉

この動画は何度も見たことがあります。

現在完了形の文には，下のような期間を表す語句がつきます。

for ten years	10年間	since 2010	2010年以来

過去完了形　過去のある時点より前の出来事を表す。

I (　　　　) (　　　　) my room when she <u>arrived</u>.
　　〈had+過去分詞〉　　　　　　　　　　　　　　過去形

私は彼女が到着したとき,部屋をきれいにしてしまっていました。

現在完了進行形　過去が現在にずっと影響を与えてきたことを表す。

I (　　　　) (　　　　) (　　　　) a lot <u>for the past five years</u>.
　〈have+been+現在分詞〉　　　　　　　　　　過去から現在に続く期間

私は過去5年間ずっとたくさん食べてきました。

助 動 詞
wouldとshould

---

would の意味 willの過去形

①「どうしても～しようとしなかった」

He (　　　　　) (　　　　　) do the homework.

彼はどうしてもその宿題をしようとしなかった。

覚えよう

willには「～だろう」
（未来）や,
「～しよう」（意思）の
意味があります

②「よく～したものだ」

When I was young, I (　　　　) often travel alone.

若い頃はよく一人旅をしたものだ。

③「～していただけませんか」

(　　　　　) (　　　　　) close the door? ドアを閉めていただけませんか。

---

should の意味 shallの過去形

①「～すべきである」

She (　　　　　) (　　　　　) make excuses. 彼女は言い訳をすべきではない。

②「当然～するはずである」

The plane (　　　　　) be landing right on schedule.

その飛行機は予定通りに着陸するはずです。

助動詞＋過去分詞

may have+過去分詞	～したかもしれない
must have+過去分詞	～したに違いない
cannot have+過去分詞	～したはずがない
should have+過去分詞	～すべきだったのに（しなかった）

助動詞の表現

had better ～	～したほうがいい,～すべきだ	ought to ～	～すべきだ
can't ～ too …	いくら～しても…すぎることはない	can't　　　　～ing	～せざるをえない

35

不定詞
不定詞の3つの用法

不定詞 〈to＋動詞の原形〉

不定詞には「名詞的用法（〜すること）」，「形容詞的用法（〜するための）」，「副詞的用法（〜するために）」の3つの用法があります。

① 「〜すること」 **名詞的用法（名詞のはたらきをする）**

( ) ( ) his computer is difficult.

彼のコンピューターを使うことは難しいです。

② 「〜するための」 **形容詞的用法（前の名詞や代名詞を修飾する）**

I have a lot of work ( ) ( ) this month.

今月はするための仕事（するべき仕事）がたくさんあります。

③ 「〜するために」「…して〜になる」 **副詞的用法（前の動詞を修飾する）**

I will do my best ( ) ( ) my clients.

私は顧客を満足させるために最善を尽くします。

She grew up ( ) be a doctor.

彼女は成長して医者になりました。

〈疑問詞＋不定詞〉

疑問詞に不定詞（to＋動詞の原形）がついた形を確認しましょう。

・what to 〜（何を〜するか）

I haven't decided ( ) to bring. 私は何を持っていくか決めていません。

・who to 〜（だれを〜するか）

I don't know ( ) to trust. 私はだれを信じればよいか分かりません。

・when to 〜（いつ〜するか）

( ) to get started is important. いつ始めるかが重要です。

・where to 〜（どこで〜するか）

Ask her ( ) to stay. どこに泊まればいいか彼女に聞いてください。

・how to 〜（どのように〜するか，〜の仕方）

Tell me ( ) to use this app. このアプリの使い方を教えてください。

PART 17

動名詞
動名詞のはたらき

動名詞 〈動詞に～ingがつく形〉

動名詞は「～すること」と訳します。動名詞は，動詞と名詞のはたらきを兼ね備えています。

① 主語 (　　　　　　　) English is my habit. 英語を勉強することは私の習慣です。
　　　　　　主語

② 補語 My hobby is (　　　　　　) pictures. 私の趣味は写真を撮ることです。
　　　　　　　　　　　　補語

③ 目的語 I finished (　　　　　　) the room. 私は部屋を掃除するのを終えました。
　　　　　　　　　　　　　目的語

〈前置詞＋動名詞〉

前置詞に動名詞を続ける形を確認しましょう。

think of ~ing	～することを考える, ～することを検討する
be good at ~ing	～することが得意である
look forward to ~ing	～することを楽しみにする
be used to ~ing	～することに慣れている

不定詞 or 動名詞

動詞には，①不定詞を続けるもの，②動名詞を続けるもの，③どちらも続けるものがあります。

① hope：I hope (　　　　　　) (　　　　　　) you.
　　　　あなたに会うことを願っています。

② enjoy：We enjoyed (　　　　　　) last night.
　　　　昨夜私たちはダンスを楽しみました。

　give up：My father gave up (　　　　　　). 父は喫煙するのを止めました。

③ 意味がほぼ同じもの
like：I like to play chess. / I like playing chess.
　　　私はチェスをするのが好きです。

意味が異なるもの
remember：I'll remember to bring money. お金を忘れずに持ってきます。
　　　　　I remember saying that. 私はそれを言ったのを覚えています。

37

PART 18 受動態

受動態の作り方と動詞の活用

受動態は「〜される」「〜された」という意味を表します。文の形は
〈be動詞（am／is／are／was／were）＋過去分詞〉です。

受動態の作り方

| 能動態（通常の文） | メアリーは昨日そのメッセージを送りました。 |

Mary | sent | the message | yesterday.

| 受動態（受け身の文） |

The (　　　　　) was sent by (　　　　) yesterday.

〈be動詞＋過去分詞〉

そのメッセージは昨日メアリーによって送られました。

💡 覚えよう

by以外の前置詞を
使うもの
be disappointed
with 〜
「〜にがっかりする」
be pleased with 〜
「〜に喜ぶ」
be surprised at 〜
「〜に驚く」
be caught in 〜
「（雨）にあう」
be covered with 〜
「〜で覆われている」
be filled with 〜
「〜でいっぱいである」
be known to 〜
「〜に知られている」

動詞の活用

多くの動詞は send（送る）−sent−sent のように，過去形と過去分
詞が同じ形ですが，下の表で例外もしっかり覚えておきましょう。

AAA型

	過去形	過去分詞
cut（〜を切る）	cut	cut
put（〜を置く）	put	put

ABA型

come（来る）		come
run（走る）		run
become（〜になる）		become

ABC型

write（〜を書く）	wrote	
go（行く）	went	
speak（〜を話す）	spoke	
do（〜をする）	did	
drive（〜を運転する）	drove	
eat（〜を食べる）	ate	

PART 19 仮定法
事実に反する仮定

学習日 ／

★理解度
□ カンペキ!
□ もう一度
□ まだまだ…

準2級では「仮定法」が出題されます。「もし私が鳥だったら」のように，事実に反する仮定を「仮定法」と言います。

💡 覚えよう

If it were not for ～「（今）～がなければ」
If it had not been for ～「（過去に）～がなかったら」

① 仮定法過去　現在の事実に反する仮定「もし…なら～なのに」

If I (　　　　) you, I (＿＿＿＿) accept the offer.

過去形　　　　　　助動詞の過去形+動詞の原形

もし私があなたなら，そのオファーを引き受けるのに。

② 仮定法過去完了　過去の事実に反する仮定「もし…だったなら～だったのに」

If I had had enough money, I (＿＿＿＿) have bought the car.

過去完了形　　　　　　助動詞の過去形+have+過去分詞

もし十分にお金があったら，その車を買えたのに。

	if節の中の動詞	帰結節の中の動詞
① 「もし…なら～なのに」（仮定法過去）	過去形	助動詞の過去形(would／could／might)+動詞の原形
② 「もし…だったなら～だったのに」（仮定法過去完了）	過去完了形(had+過去分詞)	助動詞の過去形(would／could／might)+have+過去分詞

I wish (that) S+V 「～なら[だったなら]いいのに」

実現の可能性がない願望・実現しなかった願望です。wishの後に続く動詞は，過去形か過去完了形です。

I wish I were a bird. 私が鳥ならいいのに。

⚠️ **注意!**

I hope ～. は実現の可能性がある願望で，仮定法ではありません。hopeの後はwill／canなどです
I hope that she will show you the progress.
彼女が進歩を見せてくれるといいですね。

As if S+V 「まるで～である[だった]かのように」

事実と反する仮定です。as ifに続く動詞は，過去形か過去完了形です。

I feel as if you were my father.

私はあなたがまるで私の父親であるかのように感じます。

分詞構文
作り方とはたらき

2つの文が接続詞で結ばれている場合, 一方の文の動詞を分詞の形に変えて, 副詞句として使うことができます。これが分詞構文です。

分詞構文の作り方

2つの節から成る文から, 現在分詞の分詞構文を作りましょう。

<u>When</u> she saw the big dog, <u>Suzie ran away.</u>

従属節　　　　　　　　　　　　　　主節

大きな犬を見たときに, スージーは走り去りました。

① 接続詞whenをとる
⬇ ~~When~~ she saw the big dog, Suzie ran away.

② 主語が同じならば, 従属節の主語をとる
⬇ When ~~she~~ saw the big dog, Suzie ran away.

③ 従属節の動詞を～ing形にする
Seeing the big dog, Suzie ran away.

💡 覚えよう

「主節」は, 文のメイン
「従属節」は, 主節を修飾したり説明したりする節のこと

分詞構文のはたらき

① 現在分詞（～ing形）を使った分詞構文

Playing volleyball, Jane felt very tired.

バレーボールをしたので, ジェーンはとても疲れました。

② 過去分詞を使った分詞構文

Played in many countries, soccer is popular all over the world.

多くの国でプレーされているので, サッカーは世界中で人気があります。

分詞構文には, 次のような意味が隠れています。

	意味	省略されている接続詞
時	「～するとき」「～したとき」	when／as soon asなど
付帯状況	「～して」「～しながら」	andなど
理由	「～するので」「～したので」	because／since／asなど
条件	「～するならば」「～したならば」	ifなど
譲歩	「～するけれども」「～したけれども」	althoughなど

比較
原級／比較級／最上級

原級

Mike is as tall as Jim. マイクはジムと同じくらい背が高い。

└─ -er, -estがつかない元の形

A is+倍数+as ... as B	AはBの〜倍…である （倍数とは, twice：2倍, three times：3倍, half：半分など）
as 〜 possible	できるだけ〜
as many[much] as 〜	〜もの数[量]の
not so much A as B	AというよりはむしろB

比較級

Nancy is ( ) than Mike . ナンシーはマイクよりも背が高い。

〈比較級（-er）+than+比べる人〉

The+比較級〜, the+比較級 ...	〜すればするほど…
no more than 〜	ほんの〜だけ, 〜しか
no longer 〜	もはや〜でない

💡 覚えよう

表の慣用表現は
すべて暗記しておこう

最上級

Nancy is the ( ) of the three . ナンシーは3人の中で最も背が高い。

〈最上級（-est）+ of や in〉

最上級の内容を表す原級・比較級

No (other) A ... as+原級+as B	（他の）どのAもBほど〜でない
No (other) A ... 比較級+than B	（他の）どのAもBより〜でない
A ... 比較級+than any other B	Aは他のどのBよりも〜

不規則な変化

原級	比較級	最上級
good（よい）, well（上手に）		
bad（悪い）, ill（病気の）		
many（数が多い）, much（量が多い）		
little（少ない）		

関係代名詞
関係代名詞の種類とはたらき

学習日 ／

★理解度
□ カンペキ！
□ もう一度
□ まだまだ…

関係代名詞には「接続詞」のように，2つの文をつないで1つの文に
するはたらきがあります。また，「(代)名詞」のように，後の節の中で
主語や目的語になります。

関係代名詞の種類

先行詞＼役割	主格	所有格	目的格
人	who	whose	whom (who)
物事	which	whose	which
人・物事	that	——	that

① 主格の関係代名詞のはたらき

I know the girl. ＋ She is from Italy.

私は女の子を知っています。　彼女はイタリア出身です。

I know the girl (　　　　　) is from Italy .

先行詞「人」　　関係代名詞

私はイタリア出身の女の子を知っています。

② 所有格の関係代名詞のはたらき

I know the girl. ＋ Her father is a dentist.

私は女の子を知っています。　彼女の父は歯医者です。

I know the girl (　　　　) father is a dentist .

先行詞「人」　　関係代名詞

私は父が歯医者である女の子を知っています。

③ 目的格の関係代名詞のはたらき

(!) 注意！

目的格の関係代名詞
は省略できます

This is the movie. ＋ I saw it last night.

これは映画です。　　私は昨夜それを見ました。

This is the movie (　　　) I saw last night.

先行詞「物」　　関係代名詞

これは私が昨夜見た映画です。

関係副詞

関係副詞の種類とはたらき

学習日

★理解度
□ カンペキ！
□ もう一度
□ まだまだ…

関係副詞には「接続詞」のように2つの文をつないで1つの文にする
はたらきがあります。また，後の節の中で「副詞」の役割をします。「副
詞」は修飾語なので，副詞がなくても文は成立します。

関係副詞の種類

	先行詞（省略できます）	関係副詞
時	the time／the day など	when
場所	the place／the town など	where
理由	the reason	why
方法	the way	how

💡 覚えよう

「関係副詞」はただの
修飾語なので，その副
詞を抜いても「完全な
文」です

💡 覚えよう

先行詞は省略すること
もできます

① 先行詞が「時」の場合

Please let me know <u>the time</u> （　　　　　） you will come .

先行詞「時」　　関係副詞

あなたが来る時間を教えてください。

② 先行詞が「場所」の場合

This is <u>the park</u> （　　　　　） I used to play .

先行詞「場所」　　関係副詞

ここは私がよく遊んだ公園です。

③ 先行詞が「理由」の場合

I don't know <u>the reason</u> （　　　　　） she refused the offer.

先行詞「理由」　　関係副詞

私は彼女が申し出を断った理由がわかりません。

⚠ 注意！

the way howはダメ。
howは先行詞と一緒
には使いません

④ 先行詞がなく，「方法」を表す場合

That's （　　　　　） they have reached an agreement.

=the way

そのようにして彼らは合意に達しました。

会話表現①

勧誘・依頼

準2級では，勧誘・依頼の表現の出現する場面が多岐にわたります。I want to ～の丁寧な表現であるI would like to ～やWhy don't we ～? を含む表現，Would you mind ～ing? などの丁寧にお願いするパターンなどを確認しておきましょう。

would likeを含む表現

Would you（　　　　）to leave a message?

メッセージを残されますか。

I（　　　　）like to make a reservation.

予約を取りたいのですが。

その他の丁寧な表現

Why don't we ～?「～するのはどうですか」

（　　　　）don't we go out tonight?

今晩出かけませんか。

| Of course.
もちろん。 | No problem.
問題ないですよ。 |
| I'd be glad to.
喜んで。 | Sure, I'd love to.
ぜひ，喜んで。 |

Would you mind ～?「～してもいいですか」

Would you（　　　　）if I open the window?

窓を開けてもいいですか。

— Go ahead.　どうぞ。

命令文＋please

Attention, please.　お客様（聞いてください）。

!注意！

mindは「～を気にする」という意味なので，答え方に注意。承諾する場合は，No.（気にしません）断る場合は，Yes.（気にします）

次の３つの会話文を完成させるために,(1) から (4) に入るものとして最も適切なものを,1,2,3,4の中から一つ選びなさい。

(1) 　A: Hello, Mr. Jones. Do you have time?
　　　B: Hi, Rick. What's wrong? You look tired.
　　　A: Yeah, I have a problem with my science report. （　**1**　）
　　　B: Sure. Let me see your unfinished report.
　　　1　I was wondering if you could give me a few tips.
　　　2　I wonder at your advice.
　　　3　I think this report was written two years ago.
　　　4　Can you write my report?　　　　　　　　　　①②③④

(2) 　A: Hi, Ally. What are you doing?
　　　B: Oh, Gerald. I'm packing the old materials to the boxes.
　　　　　Do you mind carrying that box to the storage room?
　　　A: （　**2**　） You mean, that one?
　　　B: Yes. Thanks a lot.
　　　1　Of course, yes.　　　**2**　No, I'm busy now.
　　　3　Not at all.　　　　　**4**　Can you carry that?　　①②③④

　　　A: I have nothing to wear for the party next week. Linda,
　　　　 can you lend me a dress?
　　　B: Sure. I have two dresses, white one and black one.
　　　　 Which do you like?
　　　A: I like black clothes, but （　**3**　）
　　　B: Of course. Please come to my house and choose one.
　　　A: Great, thank you. （　**4**　）
　　　B: Well ..., how about tomorrow evening?
　　　A: No problem. I'll make special dinner for you in return.
　　　B: Wow, I can't wait!

(3) 　**1**　I cannot borrow it.　　　**2**　could you take them to me?
　　　3　I like white, too.　　　　**4**　can I try on both?　　①②③④

(4) 　**1**　When is the party?
　　　2　When is convenient for you?
　　　3　Which can you lend me?
　　　4　What do you want to have for dinner?　　　　　　①②③④

会話表現②
レストラン・買い物

会話問題・リスニングなどで，レストランやお店での会話が出題されます。

レストランでの注文

ウェイター	客
May I (　　　　　) you? 何かご注文は?	Can I see the (　　　　　), please? メニューを見せていただけますか。
Are you ready to (　　　　　)? ご注文はお決まりですか。	It looks good. おいしそうですね。
Would you like something to drink? 何かお飲み物はいかがですか。	I'd like some sandwiches. サンドイッチにします。
How would you like your steak? ステーキの焼き加減はどうなさいますか。	No, thank you. I'm full. 結構です。おなかがいっぱいです。
Here you are. はい，どうぞ。	Can I have some more water? もう少しお水をいただけますか。

お店での買い物

店員	客
(　　　　　) to ABC Market. May I help you? ABCマーケットへようこそ。何かお探しですか。	I'm looking for a present. プレゼントを探しています。
I'll show you the way. こちらへどうぞ。	I want to buy some fruits. いくつか果物を買いたいのです。
It's on the sixth floor. 6階にございます。	I'm just looking, thanks. 見ているだけです，ありがとう。
How about this one? これはいかがですか。	May I (　　　　　) this on? 試着できますか。
These are on (　　　　　). こちらはセール中です。	How (　　　　　) is this watch? この時計はおいくらですか。

次の３つの会話文を完成させるために,*(1)* から *(4)* に入るものとして最も適切なものを,**1,2,3,4**の中から一

つ選びなさい。

(1)   *A:* Welcome to Bistro JO. May I take your order?
       B: I'll have the sirloin steak with mashed potatoes.
       A: (*1*   )
       B: I'd like my steak medium.
       1   How was your steak?
       2   How would you like your steak?
       3   Would you like the sirloin steak?
       4   This steak is very popular.   ①②③④

(2)   *A:* Hi, I bought this shirt yesterday, but I found it had a
           spot on the back.
       B: Oh, I'm terribly sorry for this. May I see your receipt,
           please?
       A: Yes, here you are. (*2*   )
       B: Sure. I'll arrange a refund for you, so wait a minute, please.

       1   I'd like to return this shirt.
       2   Can I exchange it for a skirt?
       3   How much will it be?
       4   I'm really angry at this.   ①②③④

       A: May I help you to find something?
       B: Yes, I'm looking for a suitcase for traveling abroad.
           (*3*   )
       A: Well, this one is popular with women. It is light, strong
           and it's made from carbon fiber. Please have a try.
       B: Oh, very light! It's good but (*4*   )
       A: I see. This suitcase series has a large size. Here. How
           about this size?
       B: Great. What kind of colors do you have?
       A: Black, dark red, blue and yellow are available, but silver
           is not in stock now.
       B: I see. I'll take a dark red.

(3)   **1**   May I ask you a favor?
       2   Can you recommend one?
       3   Why do you recommend it?
       4   Do you think it matches to me?   ①②③④

(4)   **1**   the design is not my favorite.
       2   I think it's expensive for me.
       3   I don't like this color.
       4   I think it's a little small for my trip.   ①②③④

会話表現③

旅行・道案内

旅行先での交通手段，時間，道順などを尋ねる表現が多く出題されます。

声をかける

Excuse me. すみません。
I'm a stranger in this town. この町の者ではないのです。

I'll show you the way.
私が行き方を教えましょう。

目的地の場所や行き方を尋ねる

Where is the Smith's hospital? スミス病院はどこですか。	Do you know where the station is? 駅はどこかご存じですか。
Where is the (　　　　) station? 一番近い駅はどこですか。	Is there a (　　　　) around here? 近くに公園はありますか。
Which (　　　　) goes to the zoo? どちらのバスが動物園に行きますか。	Could you tell me how to get to the library? 図書館に行く方法を教えていただけますか。
Do you (　　　　) the way to the city hall? 市役所への行き方を知っていますか。	Could you tell me the way to the post office? 郵便局に行く方法を教えていただけますか。

道案内をする

It (　　　　) about ten minutes. 10分くらいかかります。	Go down this street. この道を進んでください。
You'll get there in five minutes. 5分で着きますよ。	Keep going straight for ten minutes. そのまま10分まっすぐ進んでください。
Take the (　　　　) at Shibuya Station. 渋谷駅で地下鉄に乗ってください。	You'll (　　　　) it on your right. あなたの右手にそれは見えるでしょう。
Turn (　　　　) at the next corner and you'll find it. 次の角を左に曲がるとそれは見つかるでしょう。	The bus will leave for Atami at 10:30. そのバスは10時半に熱海に出発します。

次の３つの会話文を完成させるために,*(1)* から *(4)* に入るものとして最も適切なものを,**1,2,3,4**の中から一つ選びなさい。

(1)　A: Excuse me. Do you know a record shop named Barbara's Records?

B: Yes, I know it. You can find it on the left side along this street. It's next to a drug shop, but （　*1*　）.

A: Oh, really? Why?

B: The repair work on the building isn't finished yet.

1　I'm afraid it's not open today

2　it takes five minutes from here

3　I'm sorry I don't know the shop

4　I've never been there

① ② ③ ④

(2)　A: Hi, I'd like a ticket to Seattle, please.

B: Sorry, sir. （　*2*　）

A: Oh, no. I have to go there by tomorrow morning ….

B: I think there is all-night bus service running to Seattle. The bus station is near here, so how about checking whether there are any vacant seats?

1　A train ticket to Seattle is four dollars.

2　The last train to Seattle has already left.

3　There are no more buses to Seattle today.

4　The bus routes to Seattle are no longer available.

① ② ③ ④

A: Hello, I would like to check in.

B: Sure. Could you show me the voucher for the reservation and your passport?

A: Here they are. Does my room have a bathtub?

B: Unfortunately, this is not a room with a bathtub.

A: （　*3*　）

B: Let me check, there is one, but it is a double room.

A: （　*4*　）

B: Yes, of course, but you need to pay the difference, 30 dollars.

(3)　**1**　Can I use the public shower facility?

2　Could you put a bathtub to my room?

3　Would there be another room with a bathtub?

4　How can I pay?

① ② ③ ④

(4)　**1**　Would it be possible to use this room?

2　I'll use a room without a bathtub.

3　Who uses this room with a bathtub?

4　Can I use this room for a single room rate?

① ② ③ ④

PART 27

会話表現④

電話での会話

準2級でも，会話問題やリスニングなどで，電話での会話が出題されます。相手を呼び出す，折り返し電話をかける，伝言を残すなどのさまざまな状況の会話を覚えましょう。

電話での会話のフローチャート

電話をかける	電話を受ける
Hello, this is Mike calling. もしもし，こちらはマイクです。	Hi, Mike. What's up? もしもし，マイク。どうしたの？
↓	
May I ( ) to Ms. Green, please? グリーンさんとお話ができますか。	Speaking.　私ですが。
	Sorry, you have the ( ) number. 失礼ですが，番号をお間違えです。
	Sure, hold on, please. もちろんです。お待ちください。
	I'm afraid she is out now. 残念ながら彼女は今外出中です。
	May I take a message? メッセージをお伝えしましょうか。
That's okay. I'll call back ( ). 結構です。後でまた電話します。	
Sure. Could you tell her to call me back? はい。折り返しお電話くださるように伝えてもらえますか。	
	Could you tell me your phone ( )? 電話番号を教えていただけますか。
Of course. My number is XXX-XXXX. もちろん。私の番号はXXX-XXXXです。	
	Thanks for calling. お電話ありがとうございました。

次の３つの会話文を完成させるために, *(1)* から *(4)* に入るものとして最も適切なものを,**1,2,3,4**の中から一つ選びなさい。

(1)　A: Keepfit Sports Club. How can I help you?

B: Hi, I'd like some information about your dance lessons. When do you have a dance class for beginners this week?

A: We offer two classes for beginners, one is Jazz from 13:00 Wednesday, and the other is HipHop from 18:00 Saturday. These classes are very popular, so (　*1*　)

B: I see. Can I book HipHop dance class now?

1　both classes are fully booked up.

2　you should not take these classes.

3　I recommend you to book early.

4　you can enjoy live musical performances.

(2)　A: Hello. Nicole speaking.

B: Hi, Nicole. It's David. I'm sorry but I'll be late for our date. (　*2*　) I have to do it right away.

A: No problem, David. I've just wanted to buy a present for my colleague, so I am going to Sally's Mall. Can you come to the mall after the work?

B: Sure. Then shall we meet at 6:00 at the entrance?

1　I've been caught in a terrible traffic jam.

2　When I left the office, it started raining.

3　One of my clients told me to contact the wholesalers.

4　My boss called me when I was about to leave home.

A: Hello, St. Andrews School.

B: Hi, this is Christopher Moore's mother. Chris has a fever, so (　*3*　).

A: I see. Well, do you know he has a math exam today? He'll need to take an additional test, then.

B: Yes, he said so. (　*4*　)

A: Let me check ..., yes, we'll have the additional test next Thursday morning.

B: OK. I'll tell him about that.

A: I hope he'll be better soon.

B: Thank you.

(3)　**1**　he's going to meet the principal today

2　he's going to miss school today

3　he's not going to be absent today

4　he's going to have a math test today

(4)　**1**　Can he take the test next Thursday?

2　I think he won't take the exam.

3　How long does it take to finish the test?

4　Does he have to take the test?

長文の語句空所補充

準2級で出題される「長文の語句空所補充」(大問3) は150語程度
の文章を使った問題です。

空所の前後に着目して, 長文を読んでみよう

Cheering Up Her Town

　Amanda woke up one morning feeling sad. She (**1**), but she was sad. As she was making her morning cup of coffee, she realized that a lot of people looked sad. Just then she looked out the window and saw a neighbor walking her dog. Both the dog and its owner looked unhappy. "What makes me happy?" Amanda wondered. To help her think, she started to listen to music, and soon she found that she was moving to a cheerful song. And she was smiling.

　"This is the answer. I just invented this dance, and it's making me feel happy. Maybe I can share my happiness." So, Amanda (**2**) and sent it to her friends so they could watch it. She danced on her front porch. She danced at school. She danced at the grocery store. Soon other people were doing her dance and smiling. One person made hundreds of others feel happy.

接続詞やつなぎ言葉に注目しよう

具体例	for example	例えば	for instance	例えば
原因, 結果	therefore	したがって	as a result	その結果
言い換え	in words	言い換えれば	that is	すなわち
付け足し	moreover	さらに	in addition	さらに
補足, 強調		実際には	in fact	実際
逆説	however	しかしながら	in spite of that	それにも関わらず
対比	on the other hand	もう一方では		
話題を変える	by the	ところで	now	さて

設問1

彼女は（　*1*　）が，彼女は悲しかったです。

選択肢

1 wanted to get dressed

　服を着たかった

2 had no reason

　（_____）はありませんでした

3 didn't have breakfast

　朝食を食べていませんでした

4 couldn't sleep well

　よく眠れませんでした

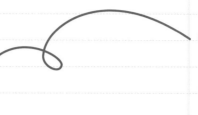

解答 （　　　　　　）

!注意！

あてはまる日本語訳を
考えて（　　）に
入れよう

覚えよう

（*1*）に入るものを
選択肢から選びます

設問2

それで，アマンダは（　*2*　），そしてそれを彼女の友達が見られるように送りました。

選択肢

1 made extra coffee

　（_____）のおかわりを作り

2 offered to walk the dog

　犬を（_____）させると申し出て

3 solved another problem

　もう一つの問題を解いて

4 made a video of herself dancing

　自分自身が踊っている（_____）を作り

解答 （　　　　　　）

次の英文を読み，その文意にそって *(1)* と *(2)* の（　　　）に入れるのに最も適切なものを**1,2,3, 4**の中から一つ選びなさい。

A Long-Awaited Trip to Japan

Ryan fell in love with Japan at the age of four when his mother （　*1*　） an English language version of *The Narrow Road to Oku* by Basho. At 14, he started studying Japanese. "Could we go on a family trip to Japan when I'm 18?" he asked his parents.

Ryan spent four years planning for the trip. He practiced using chopsticks. He researched *ryokan* and how their guests are expected to behave. He learned a lot: Japan Railway sells foreign visitors a pass that allows them to travel cheaply on any train. Some Japanese airlines offer foreign visitors flights across Japan for 20% less than their usual prices. He told his parents about amazing Japanese toilets and that Japanese taxis had self-opening doors. Ryan decided （　*2*　） and what they would see. He and his parents got passports. The big day came at last. Ryan's dream of visiting the land of Basho was coming true.

---

(1)   **1**   read to him

         2   started missing

         3   gave her friend

         4   told him to sell   ① ② ③ ④

(2)   **1**   how to sell them

         2   where they would go

         3   when to open them

         4   what they would say   ① ② ③ ④

長文A
メール

長文（大問4）を勉強していきます。[4A] は「メール」です。メール本文は200語程度で, その内容に関する3つの質問の答えを選ぶ問題です。

💡 覚えよう

Subject（件名）は,
メール文を読むヒントに
なります

先に質問を読む　　いきなり長文を読み始めるのではなく, まずは質問を読み長文の内容をつかみましょう。

設問1　Why is Abigail writing to Yumiko?

アビゲイルは（　　　　　）ユミコに（メールを）（　　　　　）いますか。

選択肢

1 She is her good friend.
2 She met her in Japan.
3 She needs her support.
4 She gives some advice.

解答（　　　　　）

設問2　What is Abigail working on?

アビゲイルは（　　　　　）に取り組んでいますか。

選択肢

1 She is trying to make new friends.
2 She is preparing to move to Cedarburg.
3 She is learning to use a meeting program.
4 She is preparing to speak to her class.

解答（　　　　　）

設問3　What help is Abigail asking for?

アビゲイルはどのような（　　　　　）を求めていますか。

選択肢

1 Finding countries with many old people.
2 Helping with interviewing a Japanese person.
3 What to ask her great grandmother.
4 Advice on visiting Okinawa.

解答（　　　　　）

質問を踏まえて，メール文を読んでいきましょう。

From: Abigail Johnson <abg-json@housemail.com>
To: Yumiko Tanaka <yu-tanaka@readmail.co.jp>
Date: September 15
Subject: Can you help me?

Dear Yumiko,

How are you? My friend and yours, Catherine Taylor, gave me your name and email address. I recently moved to Cedarburg and attend the same school as Catherine. She is so nice! She made me feel welcome on my first day. Since then, we have been good friends. She talks about you and your visit to her family all the time.

I will be giving a presentation to my class on September 30, and my topic is "People Who Live Past 100." I chose this topic because my great-grandmother is 102. I already interviewed her about her life and what helped her live so long. With the help of a friend of my parents', I have also interviewed a 101-year-old man in the Republic of Georgia. He still takes care of his cows, and even sang a song for me. Because Okinawa has more people who are 100 or older than anywhere in the world, I hope you can help me find and interview someone. Do you have a meeting program on your computer? Would you mind helping me by translating each question and answer? Thank you so much.

All the best,

Abigail

次の英文の内容に関して，*(1)* から *(3)* までの質問に対して最も適切なもの，または文を完成させるのに最も適切なものを**1,2,3,4**の中から一つ選びなさい。

From: Lindsey Thompson<l.thompson@hfhvolunteers.com>
To: Sumiaki Yamashita<s.yamashita@tohokufoods.com>
Date: June 14
Subject: Thank you for your great support

Dear Mr. Yamashita,
I am an HFH volunteer in Takengon in Sumatra, Indonesia. I am writing to express our appreciation for your support. All of our citizens and I want to thank your company and the six other companies in your region for sending us cans of fish to help feed our school children. All cans have been distributed to children who go to the elementary schools and junior high schools in the region. They were excited not only to receive nutritious food but also to try some Japanese food.
We know that your companies are located in the region of Japan that was badly damaged by the earthquake and tsunami ten years ago. Our town is located in the region of Indonesia where an earthquake and tsunami hit in 2004. The people of our two regions have a common experience. And that makes us feel somehow close to you.
I am sending you some photos of the children along with this email. Please share them with the rest of your employees and all of the other companies as well. And please do tell them how wonderful they are and that we look forward to working with you all again soon.
Sincerely,
Lindsey Thompson

(1) Why did Lindsey Thompson write to Mr. Yamashita?

    1 She is asking for fish for her children.

    2 She is worried about an earthquake.

    3 She wants him to support her volunteer group.

    4 She is thanking Japanese companies.   ① ② ③ ④

(2) Who is Sumiaki Yamashita?

    1 A person who teaches children in Japan.

    2 An officer of the Japanese government.

    3 A member of a Japanese company.

    4 A person who works as a volunteer.   ① ② ③ ④

(3) Lindsey asks Mr. Yamashita to

    1 share the photos with the employees.

    2 send photos of company employees.

    3 take photos of Indonesian school children.

    4 tell employees about the tsunami of 2004.   ① ② ③ ④

長文B
説明文

長文（大問4）の［4B］は「説明文」です。説明文は300語程度で，

その内容に関する4つの質問の答えを選ぶ問題です。

先に質問を読む まずは質問を読み長文の内容をつかみます。

(!) **注意!**

少し長い文章ですが，
段落ごとに内容を
つかんでいきましょう

設問1 The Peace Corps was founded
平和部隊が設立されたのは

選択肢 **1** in order to provide jobs for American university students.
2 after other countries followed an American president.
3 a few years before JOCV was born.
4 after John F. Kennedy died.

解答 (   )

設問2 What are the Peace Corps volunteers expected to do?
平和部隊の (   ) は何を (   ) されていますか。

選択肢 **1** They build their own houses in other countries.
2 They work together with local people.
3 They raise money by working hard.
4 They meet their goals within one year.

解答 (   )

設問3 An applicant for JOCV
JOCVの (   ) は，

選択肢 **1** must be under 45 years old.
2 must have graduated from university.
3 must have experience in the field in which they will work.
4 cannot be in poor health or unwilling to work.

解答 (   )

設問4 What is one criticism of organizations like JOCV?
JOCVのような組織に対する (   ) のひとつには何がありますか。

選択肢 **1** They cost too much money.
2 They don't achieve their goals well enough.
3 They don't care for volunteers well enough.
4 They don't support each other.

解答 (   )

Peace Corps * *Celebrates 60 Years*

Some of the most famous words spoken by an American president are "Ask not what your country can do for you, ask what you can do for your country." Sixty years back in 1961, John F. Kennedy used those words to encourage Americans. Soon, a volunteer organization, the Peace Corps, was founded. Before long, other countries developed similar organizations, like the Japan Overseas Cooperation Volunteers (JOCV). These organizations work together to achieve goals and support each other.

Peace Corps volunteers are sent to different parts of the world and serve there for two or three years. They work with people in their places to help solve problems that must be dealt with quickly. They live with local people. They eat and work just as they do. The volunteers always work as partners of local people, not leaders. Since 1961, more than 240,000 Americans have worked in more than 140 countries, in fields like agriculture, forestry, education, health and a hundred other technical fields. JOCV, which was born just a few years later, has sent more than 30,000 volunteers to more than 80 countries, even though the population of Japan is much smaller.

Though they have many things in common, there are some differences between the Peace Corps and JOCV. For example, people of all ages can and do volunteer for the Peace Corps. Many are in their early 20s who have just graduated from university; others have already had successful careers and volunteer in their 50s and 60s; the oldest volunteer was in her 80s. On the other hand, JOCV has an age limit of 45, which had been lower until very recently.

In spite of their popularity and success, programs like JOCV and the Peace Corps are not without critics. Some say the health and safety of volunteers is not protected well enough. Others say there are better ways to spend the money at home. Nevertheless, these programs continue to help improve quality of life, and the goodwill they create will lead to celebration of many more anniversaries.

*Peace Corps：平和部隊

次の英文の内容に関して, *(1)* から *(4)* までの質問に対して最も適切なもの, または文を完成させるのに最も適切なものを **1, 2, 3, 4** の中から一つ選びなさい。

Iriomote-Ishigaki National Park

The national park in the very south of Japan is a sub-tropical* wonderland that spreads over most of two islands. Iriomote-Ishigaki National Park is full of nature, with beautiful forests, mountains, mangrove swamps*, beaches, and coral reefs*. It is also home to various animals, including rare species such as the Iriomote cat. What you will not see are cars.

Iriomote Island is far from Tokyo, located closer to Taiwan. To reach there, we need to fly to Ishigaki Island first of all. Then, the airport shuttle service takes you to the ferry terminal in 30 minutes. Three companies operate boats every hour, which go to either of two ports on Iriomote Island. However, the boats do not sail in the very worst weather.

The population of Iriomote is about 2,300, while 150,000 people visit the island every year. While the number of visitors is likely to increase, the first priority is to be successful in the protection and recovery program that monitors the Iriomote cats. The wild cats are at risk of dying out and there are only 100 left. You will not see one in the wild, especially in the daytime. If you want to learn about them, visit the Iriomote Wildlife Center.

There's a 20-kilometer hiking course across the island. You can also enjoy a river cruise. Either way, it's recommended you go around the island with a guide. Why? Since some have gone missing, visitors without guides are required to submit their plan to the local police. Pinaisala Falls is a famous spot. Snorkeling is another popular activity. Since 2018, the park has been officially recognized as the first International Dark Sky Park in Japan, because of its beautiful sky full of stars. Enjoy your visit to Iriomote-Ishigaki National Park.

*sub-tropical：亜熱帯の

*mangrove swamp：マングローブの沼地

*coral reefs：サンゴ礁

(1)   Iriomote-Ishigaki National Park

    1   requires visitors to drive.

    2   has a larger population than Tokyo.

    3   is famous for the first Wildlife Center in Japan.

    4   is located far south of Tokyo.   ① ② ③ ④

(2)   What is most important for the park now?

    1   More people visit the park.

    2   The park is easier to reach.

    3   It is safe to hike in the park.

    4   Wild animals are kept an eye on.   ① ② ③ ④

(3)   The Iriomote cat is

    1   more often found in the daytime.

    2   in danger of disappearing forever.

    3   successful in increasing the number.

    4   recognized as a dangerous species.   ① ② ③ ④

(4)   Which park activity is the most dangerous?

    1   Snorkeling without necessary equipment.

    2   Trying to find an Iriomote cat.

    3   Hiking without a guide.

    4   Reporting your plan to the police.   ① ② ③ ④

PART 31

英作文①Eメール
形式の注意点

学習日 ／

★理解度
□ カンペキ！
□ もう一度
□ まだまだ…

準2級のライティング（英作文）では，「Eメール」の返信を書く問題が出題されます。

ルールを押さえよう　「Eメール」の問題では，以下のルールがあります。

・「質問を2つ」書くこと　　・「質問への答え」を書くこと
・「40～50語で」書くこと　　・相手のEメールに対応した内容であること

⚠ 注意！

内容・語彙・文法の
3つの観点で採点さ
れます。各観点4点で，
12点満点です

「質問を2つ」書く　相手に質問をする際の表現を確認しておきましょう。

「何？」　　What do you like about the movie?　あなたはその映画の何が好きですか

　　　　　What (　　　　　) of music do you listen to?　あなたは何の種類の音楽を聞きますか

「だれ？」　(　　　　　) is the author of that book?　その本の著者はだれですか

「いつ？」　When will the band come?　そのバンドはいつ来ますか

「どこ？」　(　　　　　) did you see it?　あなたはそれをどこで見ましたか

「なぜ？」　Why do you want to study art?　なぜ芸術を勉強したいのですか

「どっち？」(　　　　　) team is your favorite?　あなたはどのチームがお気に入りですか

「どのような？」How was the weather there?　そちらの天気はどうでしたか

「いくつ？」How (　　　　) days did it (　　　　) to finish it?

それを終えるのに何日かかりましたか

その他　　　(　　　　　) you think AI will become our teachers?

あなたは AI が教師になると思いますか

　　　　　(　　　　　) there any interesting artists at the art fair?

芸術フェアに興味深いアーティストはいましたか

「質問への答え」を書く　Eメール本文でどのような質問がされているか把握して，質問に答えましょう。

To answer your question, ～　あなたの質問に答えると，～

As for your question, ～ / Regarding your question, ～　あなたの質問に関して，～

I (don't) think that ～.　私は～だと思います（～ではないと思います）

I (don't) believe that ～.　私は～だと思います（～ではないと思います）

My (　　　　　) is that ～.　私の意見は～です

I'm not sure if [whether] ～.　私は～かどうかわかりません

I'm (　　　　　) that ～.　残念ながら～です

💡 **覚えよう**

thinkよりbelieveの
方が丁寧なニュアン
スがあります

次のEメールと後の問いを読んで，（　　）に入れるのに適切な語を，《　　》から選んで書き入れましょう。ただし文頭にくる語も小文字になっています。

Hi!

Right now, I'm looking for a part-time job for the summer. However, I don't know which job to choose. What do you think is most important when choosing a job? I want to know your opinion!

Your friend,
Theo

● あなたが書く返信メールの中で，TheoのEメール文中の下線部について，あなたがより理解を深めるために，下線部の特徴を問う具体的な質問を2つしなさい。

「質問」を書く　ここではa part-time job（アルバイト）について質問しましょう。

・（　　　　）you ever（　　　　）a part-time job（　　　　）? If so,
（　　　　）did you do?
《　before　had　what　have　》

・（　　　　）（　　　　）（　　　　）a favorite shop? If so, do you know
（　　　　）they are（　　　　）new staff?
《　have　do　hiring　you　if　》

・Do you（　　　　）to（　　　　）（　　　　）or outside? Also, do you
（　　　　）to（　　　　）（　　　　）（　　　　）?
《　day　inside　every　work　work　want　want　》

● Theoの質問（本文の黄色部分）にわかりやすく答える返信メールを書きなさい。

「質問への答え」を書く　質問は「仕事を選ぶときに一番大切なことは何だと思いますか」です。

・To（　　　　）your（　　　　）, I（　　　　）fun is most important.
《　question　think　answer　》

・As（　　　　）your question, I（　　　　）（　　　　）is most important.
《　money　believe　for　》

・（　　　　）your question, my（　　　　）is（　　　　）is
what（　　　　）most.
《　location　matters　regarding　opinion　》

PART 32

英作文② Eメール
解答の書き方〈前半〉

返信メールの前半部分の書き方の詳細を見ていきましょう。まずは，相手のEメールに応じた冒頭文を書きます。次に，下線が引かれた箇所に対して2つ質問をします。

Eメール

●あなたが書く返信メールの中で，Eメール文中の下線部について，あなたがより理解を深めるために，下線部の特徴を問う具体的な質問を2つしなさい。

> Hello!
>
> I have some big news! I went to a car exhibit and saw a self-driving car. It was my first time seeing one. I was so excited! I took some photos of it, so take a look at them …

注：self-driving car　自動運転車

冒頭文を書く　まずは，相手のEメールに対応した冒頭文を書きましょう。

・How nice!　素敵ですね
・Good（　　　　　）you!　良かったですね
・I envy you!　あなたがうらやましいです
・Your photos are amazing!　あなたの写真は素晴らしいです
・New cars are really（　　　　　）.　新しい車は本当にわくわくします
・I checked the exhibit（　　　）the（　　　　　）.
展示会についてインターネットで見ました

！注意！

実際の返信メールを書くのと同様に，いきなり質問に答える文から始めない

「質問を2つ」書く　ここではa self-driving car（自動運転車）の特徴について，2つ質問をしましょう。指示文にあるように，「あなたがより理解を深めるため」の質問をします。

・Were there any passengers in the car?　車には乗客は乗っていましたか
・（　　　　　）the car drive on a public road?　車は公道を走りましたか
・Is the car for（　　　　　）?　車は売られていますか
・（　　　　　）company designed the car?　車を設計したのはどの企業ですか
・How（　　　　　）was the car driving?　車はどれくらいの速さで走っていましたか
・（　　　）（　　　　　）does the car（　　　　　　　）?　車の値段はいくらですか

💡覚えよう

この2つ質問することが，前半部分の重要な解答ポイントです

答えは別冊 P 18

●あなたが書く返信メールの中で，AmaraのEメール文中の下線部について，あなたがより理解を深めるために，下線部の特徴を問う具体的な質問を2つしなさい。

> Hi!
>
> As you know, I went to visit my grandfather during summer vacation. Before I left, he gave me an old camera. He taught me how to use it, too. I had never used an old camera before. It's really interesting! The biggest difference is that you can only take 24 photos at a time. Do you think old cameras are better than digital ones? Please let me know what you think!
>
> Your friend,
> Amara

上のEメールに対する返信メールの前半を書きましょう。冒頭文と質問を2つ，それぞれ2パターンずつ書きましょう。

冒頭文 （10語程度で）

（例）Wow, I've always wanted an old camera!

・

・

質問を2つ （10〜15語程度）

（例）Will you bring it to school? Also, will you join the photography club?

・

・

英作文③Eメール
解答の書き方〈後半〉

続いて後半部分の書き方の詳細を見ていきましょう。まずは、Eメール内の質問に答えます。

最後に、語数を調整しながら文をふくらませて締めくくりましょう。

Eメール（P66の続き）

● あなたは、外国人の知り合い（Lisa）からEメールで質問を受け取りました。この質問にわ
かりやすく答える返信メールを、[   ]に英文で書きなさい。

Hello!

I have some big news! I went to a car exhibit and saw a self-driving car.
It was my first time seeing one. I was so excited! I took some photos of it,
so take a look at them. There were so many people trying to take photos,
so I couldn't get close enough to the car to take clear photos. But the car
was very cool! Do you want to own a self-driving car in the future?

Talk to you again soon,
Lisa

「質問への答え」を書く　　　　質問への答えを書きましょう。ここでは「あなたは将来、自動
運転車を所有したいですか」という質問（本文の黄色部分）に答えます。

・To (   ) your question, I definitely want to own one in the future.

　あなたの質問に答えると、私は将来まちがいなく1台所有したいです

・As for your question, I (   ) (   ) that I'll own a self-driving car.

　あなたの質問に関して、私は自動運転車を所有しないと思います

・Actually, I'm not sure (   ) I'll own one.　実は、私は所有するかどうかわかりません

締めくくりの文を書く　　　　最後に、締めくくりの文を書きましょう。

・If I have (   ), I can do something else while traveling.

　もし1台あれば、移動中に何か他のことができます

・It must be (   ) to ride on a self-driving car.

　自動運転車に乗るのはわくわくするにちがいありません

・I want to enjoy (   ) cars myself if I get a driver's (   ).

　運転免許証を取ったら、私は自分で運転するのを楽しみたいです

 覚えよう

語数調整をしながら
文をふくらませます

●あなたは，外国人の知り合い（Amara）からEメールで質問を受け取りました。この質問にわかりやすく答える返信メールを英文で書きなさい。

Hi!

As you know, I went to visit my grandfather during summer vacation. Before I left, he gave me an old camera. He taught me how to use it, too. I had never used an old camera before. It's really interesting! The biggest difference is that you can only take 24 photos at a time. Do you think old cameras are better than digital ones? Please let me know what you think!

Your friend,
Amara

P67と同じEメールです。返信メールの後半を書きます。質問への答えと締めくくりの文を2パターンずつ書きましょう。

質問への答え　（10語程度で）

（例）To answer your question, I think digital cameras are better.

・

・

締めくくりの文　（15～20語程度で）

（例）We can take more photos at a time, so we don't have to worry about missing something important.

・

・

PART 34	英作文④Eメール	学習日	★理解度

英作文④Eメール
実践

学習日 ／

★理解度
□カンペキ!
□もう一度
□まだまだ…

前半と後半の書き方をあわせて，返信メールを通して書いてみましょう。

● あなたは，外国人の知り合い（Tyson）からEメールで質問を受け取りました。この質問にわかりやすく答える返信メールを英文で書きなさい。

● あなたが書く返信メールの中で，TysonのEメール文中の下線部について，あなたがより理解を深めるために，下線部の特徴を問う具体的な質問を2つしなさい。

Hi!

I have so much free time since I quit playing on the soccer team. Lately, I've been thinking about switching from sports to <u>music</u>. I could join the school band, take private music lessons, or teach myself online, but first I need to choose an instrument. Which instrument do you think I should learn to play? I heard you play the piano, so I want to hear your opinion.

Your friend,
Tyson

冒頭文を書く　(例) Music is great!

・

「質問を2つ」書く　(例) Have you ever played an instrument before?
If so, which one?

・

「質問への答え」を書く　(例) In response to your question, I think you should learn to play the piano.

・

締めくくりの文を書く　(例) It is one of the most useful instruments. At many events, they need someone who can play the piano.

・

● あなたは，外国人の知り合い（Anna）からEメールで質問を受け取りました。この質問に わかりやすく答える返信メールを， ☐ に英文で書きなさい。

● あなたが書く返信メールの中で，AnnaのEメール文中の下線部について，あなたがより理解を深めるために，下線部の特徴を問う具体的な質問を2つしなさい。

● あなたが書く返信メールの中で ☐ に書く英文の語数の目安は，40語〜50語です。

Hi!

I have exciting news. My mom said I can choose where we go on vacation this year! She said it can be anywhere in Japan. I think I will choose Yakushima Island because I have always wanted to go there. The forests on the island look magical. However, I wish I could go on vacation overseas someday. If you could go anywhere in the world, where would you go? I'm curious!

Your friend,
Anna

Hi, Anna!

Thank you for your e-mail.

Best wishes,

PART 35

英作文⑤意見論述
形式の注意点

準2級のライティング（英作文）では，「外国人の知り合いから質問を受けた」という設定で**QUESTION**が出題されます。

ルールを押さえよう　英作文の問題では，守らないと減点になったり，採点の対象外になったりするルールがあります。

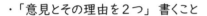

- 「意見とその理由を2つ」書くこと
- 「50~60語で」書くこと
- **QUESTION**に対応した内容であること

！注意！

カンマ（,）やピリオド（.）は語数には含めません

英作文の基本の構成を理解しよう　英文を作るとき，書き方のフォーマットを知っていると便利です。

賛成・反対の表明	賛成の場合　**I think that ~**（~と思います） 反対の場合　**I don't think ~**（~とは思いません）
理由①	**First, ~**（第一に，~）
理由②	**Second, ~**（第二に，~）
結論	**For these reasons, ~**（これらの理由により，~）

💡覚えよう

さまざまな表現を覚えておくと，語数の調整にも使えます

使える表現　他にも使える表現を覚えておきましょう。

I think (that) ~	~だと思います	I agree (that) ~	~ということに賛成です
I don't (that) ~	~だとは思いません	I don't (that) ~	~ということには賛成しません
I disagree (that) ~	~ということには反対です	My favorite ~ is ...	私の大好きな~は…です

first	第一に	first of all	まず第一に
second	第二に	also	また
for example		such as ~	~のような
in addition	さらには	moreover	そのうえ
not only that	それだけでなく	on the other hand	その一方で
in spite of that	それにもかかわらず	because of this	このため
in my opinion	私のでは	for these reasons	これらのにより
therefore	したがって	this is why ~	これが~の理由です

練 習 問 題

次の（　　　）に入れるのに適切な語句を，[　　　　　]から選んで書き入れましょう。ただし文頭に
くる語も小文字になっています。

● あなたは，外国人の知り合いから以下の**QUESTION**をされました。

● **QUESTION**について，あなたの意見とその理由を2つ英文で書きなさい。

● 語数の目安は50語〜60語です。

QUESTION: *Do you think students should take part in club activities at school?*

質問：あなたは学生は学校で部活動に参加するべきだと思いますか。

賛成例

（　　　　　） students should take part in club activities at school.
（　　　　　）. （　　　　　）, students can make friends
from different classes.　Making friends is good to learn different views of
things. （　　　　）, students can learn how to act in a group.　It'll be a
helpful experience. （　　　　）, （　　　　） students should take
part in club activities at school.

| first | I think | second | I have two reasons | therefore | I think |

反対例

（　　　　　） students should take part in club activities at
school. （　　　　）, if they do them, they don't have enough time to
study. （　　　　）, students can belong to a more specialized club
if they want.　I think that's better to master something. （　　　　）
（　　　　） students should take part in club activities at school.

| first of all | I don't think | also | this is why | I don't think |

PART 36

英作文⑥意見論述
ブレインストーミング

ライティング（英作文）の問題では，いきなり答えを書き始めるのではなく，問題を見て，答えの候補を挙げていくと書きやすくなります。

> **QUESTION:** *Do you think using smartphones is good for students?*
> 質問：あなたはスマートフォンを使うことは学生にとっていいと思いますか。

いいと思う場合

I think using smartphones is good for students.

私はスマートフォンを使うことは学生にとっていいと思います。

その理由をいくつか挙げよう

・スマートフォンから多くを学ぶことができる

they can learn a lot from smartphones

・漢字や歴史などを調べることができる

they can look (　　　　　　) *kanji*, history and others

・友達とコミュニケーションをとることができる

they can (　　　　　　) (　　　　　　) their friends

・ゲームをしたり音楽を聞いたりして楽しむことができる

they can (　　　　　　) playing games and listening to music on it

 注意！

理由は，全く違うことについて書きます。同じような内容だと減点されてしまいます

いいと思わない場合

I don't think using smartphones is good for students.

私はスマートフォンを使うことは学生にとっていいと思いません。

その理由をいくつか挙げよう

・勉強するための時間がなくなる

they won't have enough time (　　　　　　) study

・SNSでトラブルに巻きこまれることがある

they may (　　　　　　) into trouble on social media

・使いすぎてお金がかかることがある

they sometimes use it too much and it (　　　　　　) them a lot

・目によくない

it's not good (　　　　　　) their eyes

QUESTION: *Which do you think is better to live in the city or the countryside?*

質問：あなたは都会と田舎のどちらに住むのがいいと思いますか。

上の質問について，好きな理由を，日本語でそれぞれ４つずつ書きましょう。できるだけ簡単な日本語で書くのがコツです。

都会に住むのがいい場合

- （例）お店がたくさんあるので便利だ。
-
-
-
-

田舎に住むのがいい場合

- （例）空気がきれいで水がおいしい。
-
-
-
-

上で書いた理由のうち，英語にできそうなものをそれぞれ２つずつ選び，英語で書きましょう。

都会に住むのがいい場合

-
-

田舎に住むのがいい場合

-
-

PART 37

英作文⑦意見論述
和文英訳

本番の形式に近い形で練習していきましょう。

QUESTION: *Do you think it is good for students to use a tablet as textbooks?*

質問：あなたは，タブレットを（　　　　　　　）として使うことは学生にとっていいと思いますか。

上の質問について，あなたの意見とその理由2つを日本語で書きましょう。

私は，タブレットの教科書は学生にとって（　　　　　　　　）。

理由は2つあります。

1つ目は（

　　　　　　　　　　　　　　　　　　　　　　　　）です。

2つ目は（

　　　　　　　　　　　　　　　　　　　　　　　　）です。

したがって，私は（

　　　　　　　　　　　　　　　　　　）と思います。

⚠ 注意！

英訳できそうな簡単な日本語で書こう

上で書いた日本語を英訳しましょう。

答えは別冊 P 22

- あなたは，外国人の知り合いから以下の **QUESTION** をされました。
- **QUESTION** について，あなたの意見とその理由を2つ英文で書きなさい。
- 語数の目安は50語〜60語です。

QUESTION: *Which do you think is better to see movies at theaters or on demand at home?*

リスニング第1部
会話の続きを選ぶ①

準2級のリスニングには，第1部・第2部・第3部があります。まずは第1部を練習していきましょう。第1部は，2人の会話を聞き，最後の応答を選ぶ問題です。問題用紙には何も印刷されていないので，選択肢も聞き取る必要があります。放送文は一度しか読まれません。

音声を聞いて，問題を解いてみよう　**解答**（　　　　　　）

TR 01

読まれた英文　もう一度音声を聞き，空欄をうめましょう。

A: Do you have any plans next Saturday, Jessica?

B: Nothing in (　　　　　　　), Keith. Why do you ask?

A: Norma and I are going bowling. (　　　　　) you want to
(　　　　　) us?

選択肢

1　Yeah. You should try it someday.

2　(　　　　　　). Thank you for (　　　　　) me.

3　No problem. I'll be there (　　　　　) away.

(!) 注意！

最後の発言を聞き漏らさないように！

💡 覚えよう

第1部では「会話がスムーズに流れる」選択肢を選ぶ

日本語訳

A: ジェシカ，今度の土曜日は何か予定がある？

B: 特にないよ，キース。どうして？

A: ノーマとボウリングに行くんだ。君も一緒に行かない？

選択肢

1　ええ。あなたもいつか試してみるべきよ。

2　いいわよ。誘ってくれてありがとう。

3　大丈夫よ。今すぐにそこへ行くね。

最後の発言が疑問文の場合は，その質問に対応する応答を選びます。
「一緒に行かない？」なので，「いいわよ」と答えてからお礼を述べている**2**
が正解です。

対話を聞き，その最後の文に対する応答として最も適切なものを，放送される**1,2,3**の中から一つ選びなさい。

(1) ① ② ③   (2) ① ② ③

(3) ① ② ③   (4) ① ② ③

(5) ① ② ③   (6) ① ② ③

リスニング第1部
会話の続きを選ぶ②

第1部は，2人の会話を聞き，最後の応答を選ぶ問題です。問題用紙には何も印刷されていないので，選択肢も聞き取る必要があります。放送文は一度しか読まれません。

TR 03

音声を聞いて,問題を解いてみよう ◀ 解答（　　　　　　　）

読まれた英文 もう一度音声を聞き,空欄をうめましょう。

A:（　　　　　　　） I help you （　　　　　　　） something, ma'am?

B: Yes. I'm looking for a backpack that I can use for a short trip.

　Can you （　　　　　　　） one?

A: Well, this one right here is very （　　　　　　　）. It has a lot

　of pockets inside it.

選択肢

1　It looks nice, （　　　　　　　） I don't like the color.

2　I'm going to stay there for a week.

3　I have already made a （　　　　　　　） at a hotel.

💡 **覚えよう**

2人の関係を聞き取ろう

日本語訳

A:お客様, 何かお探しのものがありましたら,お手伝いしましょうか。

B:はい。短期間の旅行用に使えるバックパックを探しているのです。おすすめのものはありますか。

A:そうですね,こちらのものは非常に人気がございます。中にはポケットがたくさんあります。

選択肢

1　よさそうですね, でも色が好きではないのです。

2　私はそこに1週間滞在する予定です。

3　ホテルの予約はすでに済ませました。

ma'amは, 女性への丁寧な呼びかけです。会話の内容から, 店員と客の関係だとわかります。店員からのおすすめを受けて, それに対する応答として自然な流れになる**1**が正解です。

練 習 問 題 答 え は 別 冊 P 24

TR 04

対話を聞き，その最後の文に対する応答として最も適切なものを，放送される**1,2,3**の中から一つ選びなさい。

(1) ① ② ③　　　　　　　　(2) ① ② ③

(3) ① ② ③　　　　　　　　(4) ① ② ③

(5) ① ② ③　　　　　　　　(6) ① ② ③

PART 40 リスニング第2部
会話の内容を聞き取る①

★理解度
□ カンペキ！
□ もう一度
□ まだまだ…

第2部では，2人の会話と，その会話の内容についての質問が放送されます。質問に対する答えを，問題用紙に印刷されている4つの選択肢から選びます。

質問を予想しよう 放送を聞く前に，選択肢に目を通します。

1 She wants to buy a new umbrella.	**2** She bought the wrong item.
3 She lost her umbrella.	**4** She needs a floor map.

 考えてみよう 選択肢を見て，質問されることを予想しましょう。

選択肢1の訳は「彼女は新しい傘を買いたい」

選択肢2の訳は「彼女は（　　　　　　）商品を買った」

選択肢3の訳は「彼女は傘を（　　　　　　）」

選択肢4の訳は「彼女はフロアマップが必要だ」

⚠ 注意！

選択肢はすべて「彼女の行動」なので，「彼女」の発言に注意して聞きます

🔊 **音声を聞いて，問題を解いてみよう** 　解答（　　　　　　）

TR 05

読まれた英文 　もう一度音声を聞き，空欄をうめましょう。

A: Excuse me. I think I (　　　　　　) my umbrella somewhere on this floor yesterday evening.

B: We found three umbrellas left on this floor. What does yours look like, ma'am?

A: It's a (　　　　) one with a (　　　　　) pattern on it. It has my initials "S. H." on the (　　　　).

B: All right. I think this is yours. Here it is.

QUESTION: What do we learn about the woman?

日本語訳

A：すみません。昨晩，こちらのフロアのどこかに傘を忘れたと思うのですが。

B：このフロアで忘れ物の傘が3本ありました。お客様の傘はどのようなものでしょうか。

A：花柄の入った赤い傘です。持ち手にイニシャルの「S.H.」が入っています。

B：わかりました。こちらがあなたのものだと思います。はい，どうぞ。

質問：女性について何がわかりますか。

💡 **覚えよう**

このQUESTIONはよく出ます

Aの最初の発言を聞いただけで**3**が正解だと予想がつきます。しかし，準2級では本文と同じ単語が使われているだけの，ひっかけ選択肢が多く出現します。最後の**QUESTION**まで気を緩めずに聞き取りましょう。

対話を聞き，その質問に対して最も適切なものを，1,2,3,4の中から一つ選びなさい。

(1)
1　A patient and a nurse.
2　A patient and a doctor.
3　The father of a patient and a nurse.
4　The father of a patient and a doctor.　①②③④

(2)
1　Studying Spanish.
2　Babysitting for her neighbor.
3　Studying with Paula and Monica.
4　Being on the way to her college.　①②③④

(3)
1　Go back home.
2　Pay her bill.
3　Tell the chef the dishes were delicious.
4　Have a dessert.　①②③④

(4)
1　Rent a DVD this afternoon.
2　Return a DVD by three days ago.
3　Apologize to the rental shop three days ago.
4　Watch a DVD this afternoon.　①②③④

(5)
1　A one-thousand-yen bill and nine hundred-yen coins.
2　Ten ten-dollar bills.
3　A hundred-dollar bill.
4　Ten thousand-yen bills and nine hundred-yen coins.　①②③④

(6)
1　She wants to ask the officer the way to a bank.
2　She picked up the wallet near a bank.
3　She forgot to hand in a form.
4　She lost her wallet on the street.　①②③④

PART 41

リスニング第2部
会話の内容を聞き取る②

学習日 ／

★理解度
□カンペキ！
□もう一度
□まだまだ…

第2部では，2人の会話と，その会話の内容についての質問が放送されます。質問に対する答えを，問題用紙に印刷されている4つの選択肢から選びます。

質問を予想しよう 放送を聞く前に，選択肢に目を通します。

1	A grocery store on Bolton Street.	**2**	A kind of seafood to buy.
3	A meat shop downtown.	**4**	A nice place to have dinner.

💡 **考えてみよう** 選択肢を見て，質問されることを予想しましょう。

選択肢**1**の訳は「ボールトン通りの食料雑貨店」

選択肢**2**の訳は「買うべきシーフードの（　　　　　　　）」

選択肢**3**の訳は「繁華街の肉屋」

選択肢**4**の訳は「夕食をとるのによい（　　　　　　　）」

⚠️ **注意！**

選択肢はすべて「食べ物」に関することです

🔊 **音声を聞いて，問題を解いてみよう**　解答（　　　　　　　　）

読まれた英文　もう一度音声を聞き，空欄をうめましょう。

A：Janet, my friend in Japan is going to visit our city next month. I'm thinking of inviting her out for dinner. Can you （　　　　　　　） any nice restaurants?

B：Sure. What kind of restaurant are you looking for?

A：She likes （　　　　） better than meat, and she doesn't seem to like （　　　　） foods.

B：（　　　　） about the new （　　　　　　） restaurant downtown on Bolton Street? I'm sure she'll like it.

QUESTION：What is the man asking the woman about?

日本語訳

A：ジャネット，日本にいる僕の友人が来月僕たちの市を訪れる予定なんだ。彼女を外で夕食に誘おうと思っているんだけど。どこかいいレストランをおすすめしてくれないかな。

B：いいわよ。どんなレストランを探しているの？

A：彼女は肉より魚が好きで，辛い食べ物は好きじゃないみたいなんだ。

B：ボールトン通りの繁華街にある新しいシーフードレストランはどう？　彼女はきっと気に入ると思う。

質問：男性は女性に何について尋ねていますか。

対話を聞き，その質問に対して最も適切なものを，**1,2,3,4**の中から一つ選びなさい。

(1)　**1**　She went there to enjoy Universal Studios.

　　　2　She visited her aunt.

　　　3　She enjoyed Disneyland there.

　　　4　She has been to America twice.　①②③④

(2)　**1**　Look after her little sister.

　　　2　Go to the bank.

　　　3　Visit Sarah's house.

　　　4　Have some cake with Sarah.　①②③④

(3)　**1**　He has to take classes today.

　　　2　He is not familiar with old Japanese pictures and statues.

　　　3　He feels sad because Miwa cannot be with him.

　　　4　He is a student that comes from America.　①②③④

(4)　**1**　Traveling abroad for a week.

　　　2　Studying for a test.

　　　3　Staying home because of jet lag.

　　　4　Going to America.　①②③④

(5)　**1**　Ordering today's lunch.

　　　2　Taking an order.

　　　3　Recommending today's lunch.

　　　4　Handing a menu to the customer.　①②③④

(6)　**1**　Do a good thing for his health.

　　　2　Help him stop smoking.

　　　3　See the doctor.

　　　4　Make an appointment.　①②③④

PART 42

リスニング第3部
英文の内容を聞き取る①物語文

学習日

★理解度
□カンペキ！
□もう一度
□まだまだ…

第3部は，まとまった内容の英文とその内容に関する質問が放送されます。答えは，印刷されている選択肢の中から選びます。

質問を予想しよう 放送を聞く前に，選択肢に目を通します。

1 Her mother taught her how to cook.
2 She could get her money back at the bookstore.
3 Her mother lent her a magazine.
4 She didn't have to spend extra money.

💡 **考えてみよう** 選択肢を見て，質問されることを予想しましょう。

選択肢**1**の訳は「彼女の母親が（　　　　　　）のしかたを教えてくれた」
選択肢**2**の訳は「彼女は（　　　　　　）で返金してもらうことができた」
選択肢**3**の訳は「彼女の母親が（　　　　　　）を貸した」
選択肢**4**の訳は「彼女は余分なお金を費やす必要がなかった」

⚠ **注意！**

選択肢はすべて「彼女」の行動に関することです

🔊 **音声を聞いて，問題を解いてみよう** 解答（　　　　　　）

TR 09

読まれた英文 もう一度音声を聞き，空欄をうめましょう。

Yesterday, Yuki bought a fashion magazine at a bookstore. That evening, however, she found her mother had bought the same (　　　　　) of the magazine. The next day, when Yuki told the bookstore about it, the shop (　　　　　) said that she could (　　　　　) it for another magazine, so she (　　　　　) one about cooking. She was happy because she didn't (　　　　　) her money.

QUESTION: (　　　　　) was Yuki happy?

日本語訳

昨日，ユキは書店でファッション雑誌を買いました。ところが，その晩，彼女は母が同じ雑誌の同じ号を買っていたことを知りました。翌日，ユキが書店にそのことを話すと，店員は別の雑誌と交換してもよいと言ってくれたので，彼女は料理に関する雑誌を選びました。お金を無駄にしなかったので，彼女はうれしかったです。

質問：なぜユキはうれしかったのですか。

物語文では，時系列で話が進んでいく形式が多いです。yesterday, that evening, the next dayなどの時を表す語句で，「だれがいつ何をしたか」を整理しながら聞きましょう。

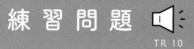
英文を聞き，その質問に対して最も適切なものを，**1,2,3,4**の中から一つ選びなさい。

(1)　**1**　Midori-machi built a theater in 2019.

　　　2　Midori-machi made a video for tourists.

　　　3　Many people come to see anime.

　　　4　A popular anime used Midori-machi for its stage.　①②③④

(2)　**1**　To introduce his class.

　　　2　To be friends with his students.

　　　3　To ask questions.

　　　4　To use only Japanese.　①②③④

(3)　**1**　Do some exercises.

　　　2　Have sandwiches and coffee.

　　　3　Go to a coffee shop.

　　　4　Check e-mails and hot news.　①②③④

(4)　**1**　It was built as a church at first.

　　　2　Muslims built it before the 7th century.

　　　3　Catholics destroyed it in the 13th century.

　　　4　It has both Islamic and Catholic styles.　①②③④

(5)　**1**　To design some accessories.

　　　2　To go to an accessory shop.

　　　3　To make some money.

　　　4　To get a birthday present.　①②③④

(6)　**1**　At 9:00 p.m. on March 28.

　　　2　At 10:30 a.m. on March 30.

　　　3　At 10:30 a.m. on March 29.

　　　4　At 9:00 a.m. on March 30.　①②③④

PART 43

リスニング第3部
英文の内容を聞き取る②説明文

学習日

★理解度
□ カンペキ!
□ もう一度
□ まだまだ…

質問を予想しよう　放送を聞く前に，選択肢に目を通します。

1　By recycling garbage from houses.
2　By creating electricity in an eco-friendly way.
3　By using the hot water sent from recycling centers.
4　By buying waste heat from plants.

💡 **考えてみよう** 選択肢を見て，質問されることを予想しましょう。

選択肢1の訳は「家庭からの（　　　　　）をリサイクルすることによって」

選択肢2の訳は「環境にやさしい方法で（　　　　　）を生み出すことによって」

選択肢3の訳は「リサイクルセンターから送られてくるお湯を使うことによって」

選択肢4の訳は「工場からの廃熱を買うことによって」

By ～ingで答えているので，質問は疑問詞（　　　　　）で「何かを行う方法」について尋ねてくると予想できます。

! **注意!**

選択肢はすべて「環境問題」に関することです

🔊 ## 音声を聞いて, 問題を解いてみよう　解答（　　　　　）
TR 11

読まれた英文　もう一度音声を聞き，空欄をうめましょう。

These days, the idea of recycling waste （　　　　　） is becoming popular in some European countries. For example, in Copenhagen the （　　　　　） of Denmark, recycling centers collect waste heat from plants to （　　　　　） hot water. Then the hot water is sent to houses in the city through pipes. People can （　　　　　） the hot water to （　　　　　） up their houses.

QUESTION: （　　　　　） can people in Copenhagen warm up their homes?

日本語訳

最近,ヨーロッパの一部の国では,廃熱をリサイクルするという考え方が広がりつつあります。例えば,デンマークの首都コペンハーゲンでは,リサイクルセンターが温水を作るために工場からの廃熱を集めます。そして,その温水はパイプを通って市内の家に送られます。人々はその温水を家を暖めるために使うことができます。

質問:コペンハーゲンの人々はどのようにして家を暖めることができますか。

説明文は，テーマを素早く理解することが重要です。ここでは「環境問題」，詳しくは「廃熱をリサイクルすること」がテーマになっています。説明文の内容をまとめた**3**が正解です。

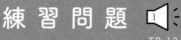
英文を聞き，その質問に対して最も適切なものを，**1,2,3,4**の中から一つ選びなさい。

(1)
1　Electric cars will be sold after 2030.
2　Gas-powered cars are more expensive than electric cars now.
3　We'll use electric cars in the future to prevent global warming.
4　Electric cars are superior to gas-powered cars on every point.
① ② ③ ④

(2)
1　She made stationery with Italian traditional paper.
2　She enjoyed drawing pictures.
3　She tried to make some traditional paper in Italy.
4　She visited many cities in Italy.
① ② ③ ④

(3)
1　Board a plane, Flight 715.
2　Wait around gate 50.
3　Invite anyone traveling with small children.
4　Come back by 6:00 p.m.
① ② ③ ④

(4)
1　Kappa-bashi Tool Street has been popular with foreign tourists for a long time.
2　Kappa-bashi Tool Street doesn't have shops selling plastic food samples.
3　Kappa-bashi Tool Street was built more than 100 years ago.
4　Kappa-bashi Tool Street sells kitchenware only to cooking experts.
① ② ③ ④

(5)
1　Noah's grandfather didn't give his watch to Noah.
2　The watch is old, so it doesn't work now.
3　Noah is taking very good care of the watch now.
4　Noah doesn't know why his grandfather gave it to him even now.
① ② ③ ④

(6)
1　To start to run in groups.
2　To hand out the number tags.
3　To celebrate the event.
4　To show respect to the runners.
① ② ③ ④

おさえておきたい単語

名 詞

政治

government	政府
statement	声明
state	国家, 州
war	戦争

コミュニケーション

promise	約束
appointment	会う約束
schedule	予定
choice	選択権, 選択
agreement	合意
service	サービス

スポーツ

coach	コーチ
match	試合
prize	賞, 商品
visitor	訪問者
audience	観衆, 聴衆
activity	活動
victory	勝利
ballet	バレエ

動 詞

似た意味の単語，熟語を持つ動詞

return .... 帰る，戻る，〜を返す
　≒　bring back .... 返す

prepare .... 準備する
　≒　get ready .... 準備する

happen .... （偶然）起こる
　≒　occur .... （偶然）起こる

reach .... 〜に到着する
　≒　get to 〜 .... 〜に到着する
　≒　arrive at 〜 .... 〜に到着する

本番と同じ形式の模擬試験です。

本番の練習になるように，次の3つを守って解きましょう。

① 筆記試験（92～104ページ）は，80分で解く。

② リスニングテスト（106～109ページ）は，音声を止めないで解く。

③ 筆記試験からリスニングテストまで通して解く。

※解答用紙は別冊の最後のページにあります。

---

1 次の (1) から (15) までの（　　）に入れるのに最も適切なものを1, 2, 3, 4の中から一つ選び，その番号を解答用紙の所定欄にマークしなさい。

---

(1) Yesterday, Ann's (　　　　) let her go home early because she looked really tired.
   1 patient　　**2** actor　　**3** boss　　**4** poet

(2) Don't worry about your (　　　　), Mike. Just try again!
   1 failure　　**2** sunrise　　**3** signal　　**4** recipe

(3) **A:** Look at the steak Jeff is eating!
   B: Yes, it's not just large. It's also very (　　　　).
   1 central　　**2** thick　　**3** innocent　　**4** brave

(4) **A:** I'm (　　　　) sorry about the mistake, Mr. Keller.
   B: That's all right. But never do it again.
   1 terribly　　**2** recently　　**3** commonly　　**4** currently

(5) **A:** Will it be hot tomorrow?
   B: Yes. The weather forecast said the highest would be 35 (　　　　).
   1 elements　　**2** temperatures　　**3** heights　　**4** degrees

(6) The population of our country is (　　　　) year by year.
   1 solving　　**2** spilling　　**3** decreasing　　**4** conducting

(7) The group is (　　　　) money to help people in the hurricane-hit area.
   1 decorating　　**2** raising　　**3** insisting　　**4** explaining

(8) Jenny went to the (　　　　) this morning to buy some vegetables.
   1 race　　**2** market　　**3** closet　　**4** stairs

(9) You need at least three years of experience to (　　　　) for this position.
   1 hide　　**2** provide　　**3** apply　　**4** engage

(10) It's very hard for plants to (   ) in dry conditions.

     1 unlock   **2** announce   **3** ignore   **4** survive

(11) Maria has been so busy for the past few weeks. She'll (   ) it easy this weekend.

     1 run   **2** speak   **3** take   **4** get

(12) *A:* My grandfather says he's going to participate in the marathon next month. What do you think?

     B: Well. It's true that he's in good (   ) for his age.

     1 shape   **2** line   **3** legs   **4** challenge

(13) William could not concentrate (   ) his homework because of the noise from his neighbors.

     1 at   **2** in   **3** on   **4** to

(14) *A:* Sasha told the teacher that I forgot to bring our group project to school, but it was her!

     B: Yeah, she isn't very good at (   ) her mistakes.

     1 admitting   **2** believing   **3** connecting   **4** denying

(15) Due to the heavy rain, there was a traffic jam this morning. (   ) came to the office on time.

     1 Anything   **2** Nothing   **3** Anybody   **4** Nobody

2 次の四つの会話文を完成させるために, *(16)* から *(20)* に入るものとして最も適切なものを 1, 2, 3, 4 の中から一つ選び, その番号を解答用紙の所定欄にマークしなさい。

(16) **A:** Excuse me. Here are two AC adapters. Why is this one much more expensive?

B: You can use this one in almost all countries around the world.

A: I have no plan to go abroad. So, (*16*)

B: That's a good idea if you're going to use it just in this country.

    1   I have another question.   **2**   I'll buy it, although it's more expensive.

    3   I'll take this cheaper one.   **4**   it's nice talking with you.

---

(17) **A:** I ran into Kazu Murata this afternoon at Central Station. Do you remember him, honey?

B: Sure. He's now working for a trading company in Japan, isn't he?

A: That's right. He said he'd be staying here in New York until next week on business.

B: Really? (*17*)

    1   Then, he must be flying back to Japan now.

    2   He's a professor of the Japanese language, right?

    3   You had breakfast with him this morning.

    4   We can invite him to dinner this weekend.

(18) *A:* Angela, I like your sweater. Where did you get it?

B: Actually, (　**18**　)

A: Your brother Nick? I didn't know he could knit. How talented he is!

B: He didn't just knit it. He designed this pattern as well.

    1 my brother made it for me.   **2** I bought it at Victoria Mall.

    3 I borrowed it from my mom.   **4** Nick bought it for me.

A: Can you help me with my Spanish homework, Dad?

B: (　**19**　) She speaks the language much better than I do.

A: I did, but she's too busy. She's preparing for tomorrow's presentation.

B: I see. Can I have a look at it? Oh, you're writing an essay on your computer.

A: Yes, I've just finished it, but I know this isn't good enough. I want you to check it.

B: Looks like you've made a lot of mistakes in spelling. Do you know (　**20**　)

A: Can I use it for Spanish? Nobody told me that.

B: You have to change the setting. I'll show you.

(19)   **1** You know I can't speak Spanish.   **2** Sorry, I have to go now.

               3 Why don't you ask your mother?   **4** Can you wait for ten minutes?

(20)   **1** when this essay is due?   **2** how to use the spellchecker?

               3 how to say that in English?   **4** where your Spanish teacher is from?

3 次の英文を読み，その文意にそって *(21)* と *(22)* の（　　）に入れるのに最も適切なものを1, 2, 3, 4の中から一つ選び，その番号を解答用紙の所定欄にマークしなさい。

Lucy's favorite Picture Book

When Lucy was a little girl, her mother read picture books to her every night. Lucy loved listening to her mother tell stories in her gentle voice. Lucy's favorite was a story about a boy and a bird. In the story, the boy found an injured bird in the forest and (*21*) until it got well enough to fly in the sky again by itself. At the end of the story, the bird came back to the boy's house and made a nest in a tree in the garden.

Now Lucy is married and has a small daughter. Last Friday at a large bookstore, she came across the picture book about the boy and the bird. As she was (*22*), the pictures on them reminded her of her memories. Lucy bought the picture book, and that evening, she read the story to her daughter, Marie. She was very happy when Marie asked her to read it again.

(21) 　1　took it back to the cage

　　　　2　looked after it

　　　　3　asked for help

　　　　4　looked for its parents

(22) 　1　turning the pages

　　　　2　looking around

　　　　3　talking to the shop clerk

　　　　4　paying the bill

MEMO

次の英文 **A**, **B** の内容に関して, *(23)* から *(29)* までの質問に対して最も適切なもの, または文を完成させるのに最も適切なものを 1, 2, 3, 4 の中から一つ選び, その番号を解答用紙の所定欄にマークしなさい。

From: Andy Baker <andy-baker@worldmail.com>
To: Jessica Williams <jessica-williams@homemail.com>
Date: June 14
Subject: Food festival

- -

Hi Jessica,

I'm sorry you couldn't come to school today. Your mother told me that you had a stomachache. I hope you're feeling better now. Today Ms. Bradley gave us history homework. We must choose one of the U.S. Presidents from the 20th century and write a report about him by the end of this month.

As I told you before, our city is having a special event called the Bartsville Food Festival in September. It'll be the first time for you to enjoy it. Various kinds of food using fresh meat, fruits and vegetables are served to visitors. At the festival market, visitors can also buy local food products at reasonable prices. The event started ten years ago, and the number of guests has been increasing year by year.

Now the festival's executive committee* is looking for volunteer guides who can help visitors from abroad. Working at the festival would be a good chance to communicate with them. In fact, when I worked as a guide last year, I made friends with some tourists from Europe. Both you and I can speak French, so we'll be able to help people from French-speaking countries and regions. How about volunteering with me? Let me know what you think.

See you,
Andy

*executive committee：実行委員会

(23)   What happened to Jessica today?

    1 She did not get good results on her history test.

    2 She could not finish writing her report about U.S. Presidents.

    3 She was absent from school because she was sick.

    4 She forgot to check Ms. Bradley's homework.

(24)   What is true about the Bartsville Food Festival?

    1 There is a food product contest during the festival.

    2 Visitors can get vegetable seeds for free.

    3 Many restaurants in the city join the festival.

    4 The number of visitors has increased over the last 10 years.

(25)   Andy suggests to Jessica that they

    1 cook their original recipes for the food festival.

    2 enjoy shopping at the market during the food festival.

    3 take part in the festival as volunteer workers.

    4 learn French so that they can help tourists from overseas.

A Symbol of Friendship and Peace

Tulips are well-known plants that grow and produce flowers in spring. It is said that the tulip is native to Turkey and was introduced into Europe in the 16th century. Now they are planted in flower gardens in many parts of the world. Tulip flowers are lovely and colorful, so a lot of people enjoy looking at them. Tulip festivals are held in many countries. The Canadian Tulip Festival in Ottawa is a world-famous one.

In 1940 during World War II, the royal family of the Netherlands left for the U.K. to escape from the war damage. Then in 1943, Princess Juliana went over to Canada and gave birth in the Ottawa Civic Hospital. By the law of the Netherlands, any royal child born outside the country couldn't be a king or a queen. So the Canadian government considered the room where Juliana stayed as one of the territories of the Netherlands. Thanks to Canada, Juliana's baby got the right to be a queen. After the war, in 1946, the Netherlands presented a large number of tulips to Ottawa to show their thanks.

The Netherlands kept sending tulips to Ottawa. Soon the city became famous for its tulip flowers. Many people were attracted by tulips in bloom. Malak Karsh, a great photographer, was one of them. Karsh was born in Turkey, but moved to Canada in 1937 and began his career. He thought all the tulips in Ottawa belonged to all the people of Canada. He hoped many people would visit Ottawa, which he loved so much. In 1953, he helped organize the first Canadian Tulip Festival.

The Canadian Tulip Festival celebrates the tulips sent from the Netherlands. The tulip is a symbol of friendship and peace between Canada and the Netherlands. Both countries have kept friends with each other for many years. Today, the Canadian Tulip Festival tries to promote international friendship and peace through the tulip.

(26)   What is true about the tulip?

    1   Some kinds of tulips bloom twice a year.

    2   It originally grew in Turkey.

    3   European people brought it to their countries for festivals.

    4   Canada relies on the tulip for the national economy.

(27)   Why did the Netherlands thank Canada so much?

    1   Canada enabled Juliana's baby to be a queen.

    2   Canada saved a lot of people from the Netherlands during the war.

    3   Canada invited the royal family of the Netherlands in 1946.

    4   Canada decided to import tulips from the Netherlands.

(28)   Malak Karsh worked to establish the Canadian Tulip Festival because

    1   he remembered seeing beautiful tulip flowers in his mother country.

    2   he thought the festival would give him an opportunity to succeed as a photographer.

    3   he wanted to show the beauty of Ottawa through the festival.

    4   he hoped to share the beauty of Ottawa's tulips with a lot of people in Canada.

(29)   The tulip will play a new role in

    1   maintaining good relations between Canada and Turkey.

    2   protecting the natural environment where tulips grow.

    3   developing world friendship and building peace.

    4   making itself the world's largest tulip festival.

● あなたは，外国人の知り合い（Ryan）からEメールで質問を受け取りました。この質問
にわかりやすく答える返信メールを，〔　　　　　〕に英文で書きなさい。

● あなたが書く返信メールの中で，RyanのEメール文中の下線部について，あなたがより
理解を深めるために，下線部の特徴を問う具体的な質問を2つしなさい。

● あなたが書く返信メールの中で〔　　　　　〕に書く英文の語数の目安は，40語〜50語です。

● 解答は，解答用紙のEメール解答欄に書きなさい。なお，解答欄の外に書かれたものは
採点されません。

● 解答がRyanのEメールに対応していないと判断された場合は，0点と採点されることが
あります。RyanのEメールの内容をよく読んでから答えてください。

● 〔　　　　　〕の下のBest wishes, の後にあなたの名前を書く必要はありません。

Hi!

I just got your e-mail about your birthday party next Saturday. Unfortunately,
I have a baseball tournament next weekend, so I can't go. I already
promised my teammates that I would participate. It's a very important
tournament for our team. However, we can do something together to
celebrate your birthday on another day! What would you like to do? Let me
know, and I will plan it!

Your friend,
Ryan

Hi, Ryan!

Thank you for your e-mail.

解答欄に記入しなさい。

Best wishes,

MEMO

6 ライティング （英作文）

- あなたは，外国人の知り合いから以下の **QUESTION** をされました。
- **QUESTION** について，あなたの意見とその理由を2つ英文で書きなさい。
- 語数の目安は，50語〜60語です。
- 解答は，解答用紙の英作文解答欄に書きなさい。なお，解答欄の外に書かれたものは採点されません。
- 解答が **QUESTION** に対応していないと判断された場合は，0点と採点されることがあります。**QUESTION** をよく読んでから答えてください。

QUESTION

Do you think you should go to an English-speaking country to study English?

MEMO

Listening Test

準2級リスニングテストについて

❶ このリスニングテストには，第1部から第3部まであります。

★英文はすべて一度しか読まれません。

第1部……対話を聞き，その最後の文に対する応答として最も適切なものを，放
送される**1, 2, 3**の中から一つ選びなさい。

第2部……対話を聞き，その質問に対して最も適切なものを**1, 2, 3, 4**の中から
一つ選びなさい。

第3部……英文を聞き，その質問に対して最も適切なものを**1, 2, 3, 4**の中から
一つ選びなさい。

❷ *No. 30*のあと，10秒すると試験終了の合図がありますので，筆記用具を置いてください。

第1部

No. 1 ～ *No. 10* （選択肢は全て放送されます。）

TR 14-23

第2部

No. 11　　**1**　She found a parking space.

TR 25　　**2**　A new parking lot will be built.

　　　　3　She has bought a new cellphone.

　　　　4　Her cellphone was finally found.

No. 12　　**1**　He went to the zoo for the first time.

TR 26　　**2**　He took many pictures.

　　　　3　He saw rhinoceroses.

　　　　4　He visited his grandmother.

No. 13　　**1**　The amount of money he paid.

TR 27　　**2**　A new copy of the same book.

　　　　3　A paycheck.

　　　　4　A receipt.

No. 14	1	Bob is going to be busy.
TR 28	2	Cathy forgot to bring her racket.
	3	The weather will be too hot.
	4	There will be strong wind.

No. 15	1	Drink pineapple juice.
TR 29	2	Give the pineapple to his daughter.
	3	Put the pineapple into the soup.
	4	Make some dessert with the pineapple.

No. 16	1	She came to a different shop.
TR 30	2	She arrived 30 minutes early.
	3	She couldn't find her friend.
	4	She lost her bag.

No. 17	1	Go to a birthday party.
TR 31	2	See Sally's new pet.
	3	Buy a bird at a pet shop.
	4	Do his homework at four o'clock.

No. 18	1	Eat breakfast.
TR 32	2	Stop by a bakery.
	3	Go to a supermarket.
	4	Bake some bread.

No. 19	1	He forgot to make a reservation.
TR 33	2	He won't be able to stay longer.
	3	His room is too small.
	4	The hotel restaurant is closed.

No. 20	1	Call Dave again later.
TR 34	2	Visit Dave in Canada.
	3	Send an e-mail to Dave.
	4	Leave a message for Dave.

No. 21

TR 36

1 It tastes like chocolate.

2 Everyone in Australia likes it.

3 Its color is black.

4 It's as popular as butter and jam.

No. 22

TR 37

1 Trade history between Japan and China.

2 Diplomatic relations between Korea and China.

3 Similarity among Asian languages.

4 Chinese food and Japanese food.

No. 23

TR 38

1 She swims in the lake every day.

2 She lives in an apartment.

3 She works from home.

4 She is planning to move to a new house.

No. 24

TR 39

1 Learn to play the saxophone from her father.

2 Teach her students how to play the instrument.

3 Get a lesson from a professional player.

4 Go to another city to practice the saxophone.

No. 25

TR 40

1 Go to Los Angeles this weekend.

2 Hand in the homework by Wednesday.

3 Attend the class on Friday.

4 Give a speech in the seminar.

No. 26 **1** Eat out at a curry restaurant.

🔊 TR 41 **2** Buy a new tent for a camping trip.

3 Go camping together again.

4 Have dinner at Miki's apartment.

No. 27 **1** Get a new smartphone.

🔊 TR 42 **2** Visit some countries in Africa.

3 Teach Japanese in Africa.

4 Go to France to study the language.

No. 28 **1** Tourists visit it only in winter.

🔊 TR 43 **2** It is in the North Island of New Zealand.

3 Many Japanese skiers go there.

4 The quality of snow there is average.

No. 29 **1** The tour will end at around two o'clock.

🔊 TR 44 **2** They'll go to the Royal Palace by bus.

3 Lunch will be served at the Central Plaza.

4 They'll come back to the starting point.

No. 30 **1** There were no noisy streets.

🔊 TR 45 **2** People were easy to get along with.

3 He could do anything he wanted to do.

4 The air was very clean.

二次試験（面接）

出題形式の概要	① 面接委員から渡される「問題カード」を使用します。 ② 問題カードの内容は以下の2つです。 　● 50語程度の英文のパッセージ 　● パッセージに関連した，A・Bの2つのイラスト ③ 試験の流れは以下の通りです。 　問題カードの黙読（20秒間）⇒ 問題カードの音読 ⇒ No. 1～No. 5の質問に解答する

二次試験（面接）の流れ

❶ 入室
- 係員の指示に従い，手荷物を持って面接室に入ります。
- 入室後，面接委員にあいさつしましょう（Hello. / Good morning.など）。

❷ 面接カードを渡す
- 面接委員の指示（Can I have your card, please?など）に従い，「面接カード」を手渡します。
- 面接委員の指示（Please sit down.など）に従い，着席します。
- バッグなどの手荷物は座席の脇に置きましょう。

❸ 氏名・受験級の確認と，英語でのあいさつ
- 面接委員が，あなたの氏名を英語で確認します（May I have your name, please?など）。
  ➡ 英語で答えましょう（My name is Saki Suzuki.など）。
- 面接委員が，あなたが受験する級を英語で確認します（Ms. Suzuki, this is the Grade Pre-2 test, OK?など）。
  ➡ 英語で答えましょう（Yes.など）。
- 面接委員から，英語でのあいさつ（How are you today?など）があります。
  ➡ 英語で答えましょう（I'm fine.など）。

❹ 問題カードの受け取りと黙読
- 面接委員からパッセージ（英文）とイラストが印刷された「問題カード」が手渡されます。
  ➡ Thank you.などと言って受け取りましょう。
- 面接委員の指示（First, please read the passage silently for 20 seconds.）に従い，20秒間，問題カードの英文を黙読します。
  ➡ パッセージ（英文）の量は約50語です。

❺ 問題カードの音読
- 面接委員の指示（Now, please read it aloud.）に従い，問題カードのタイトルと英文を音読します。最初にタイトル（題名）を読むことを忘れないように注意しましょう。
- 発音だけでなく，文の意味を考え，文の区切りに注意して大きな声でゆっくりと読みましょう。

❻ 質疑応答
- 面接委員から英語でNo. 1～No. 5の5つの質問が出されます（Now, I'll ask you 5 questions.）。
- No. 1～No. 3の質問については，問題カードを見ながら答えてかまいません。
  No. 3の質問に答えたあと，面接委員から問題カードを裏返すように指示されます
  （Now, Ms. Suzuki, please turn over the card and put it down.など）。
  ➡ 問題カードを裏返して，No. 4とNo. 5の質問には問題カードを見ないで答えます。

❼ 問題カードの返却と退室
- No. 5の応答のあと，指示（OK, Ms. Suzuki, this is the end of the test. May I have your card back, please?など）に従い，問題カードを面接委員に返却します。
- 面接委員から試験終了の指示（You may go now.など）があります。

練 習 問 題

問題カード　下の四角の枠内が受験者に渡される情報です。

Making Your Own Food

Nowadays, there are many recipe sites on the internet. Cooking schools and books for beginners are also popular. Many people think it's important to eat healthy food, so they want to cook their own food. However, some people also eat out almost every day because they are so busy with work.

A

B

Questions（質問）

No. 1　According to the passage, why do many people want to cook their own food?

No. 2　Now, please look at the people in Picture A. They are doing different things. Tell me as much as you can about what they are doing.

No. 3　Now, look at the woman in Picture B. Please describe the situation.

Now, Mr. / Ms. _____, please turn the card over and put it down.

No. 4　Do you think it is a good thing for elementary school students to use the internet?

Yes. → Why?　　　**No.** → Why not?

No. 5　These days, many students do various types of volunteer work. Do you often do some volunteer work?

Yes. → Please tell me more.　　　**No.** → Why not?

著者

松本恵美子　まつもと えみこ

順天堂大学講師、明治大学法学部兼任講師、中央大学総合政策学部兼任講師。上智大学大学院博士前期課程修了(言語テスティング／英語教授法)。資格試験対策では主にTOEFL、TOEIC、英検などを指導する。学生から社会人まで、目標突破へと導く指導が得意。また、全国の大学用教科書の執筆、監修を務める。著書多数。

※英検®は、公益財団法人 日本英語検定協会の登録商標です。
※このコンテンツは、公益財団法人 日本英語検定協会の承認や推奨、その他の検討を受けたものではありません。

書いて覚える
英検®準2級　合格ノート 音声DL　改訂版

著　者　松本恵美子
発行者　清水美成
発行所　株式会社 高橋書店
　　　　〒170-6014 東京都豊島区東池袋3-1-1 サンシャイン60 14階
　　　　電話　03-5957-7103

ISBN978-4-471-27626-3　©MATSUMOTO Emiko　Printed in Japan

本書の内容についてのご質問は「書名、質問事項(ページ、内容)、お客様のご連絡先」を明記のうえ、郵送、FAX、ホームページお問い合わせフォームから小社へお送りください。
回答にはお時間をいただく場合がございます。また、電話によるお問い合わせ、本書の内容を超えたご質問にはお答えできませんので、ご了承ください。本書に関する正誤等の情報は、小社ホームページもご参照ください。

【内容についての問い合わせ先】
　書　面　〒170-6014 東京都豊島区東池袋3-1-1 サンシャイン60 14階　高橋書店編集部
　ＦＡＸ　03-5957-7079
　メール　小社ホームページお問い合わせフォームから　(https://www.takahashishoten.co.jp/)

【不良品についての問い合わせ先】
　ページの順序間違い・抜けなど物理的欠陥がございましたら、電話03-5957-7076へお問い合わせください。
　ただし、古書店等で購入・入手された商品の交換には一切応じられません。

PART 1 よく出る動詞①
考える，活動する

熟語で覚える動詞

○ **decide to ~** ～する決心をする
I decided (**to**) make a dancing team. ダンスチームを作る決心をした。

○ **avoid doing** ～することを避ける
People (**avoid**) meeting her. 彼女と会うのを避ける。

○ **pay for ~** ～に対して支払う
I'll pay $30 (**for**) the dress. ドレスに30ドル支払う。

○ **exchange ... for ~** ～を～と交換する
I'll (**exchange**) the dress for a smaller size. ドレスを小さいサイズと交換する。

○ **practice doing** ～する練習をする
I practiced (**playing**) the violin.
バイオリンを演奏する練習をした。

○ **worry about ~** ～を心配する
I worry (**about**) him. 彼を心配する。

⚠ 注意！
fit「（サイズ，色，形）が合う」
match「（色，柄）が調和する」
suit「（色，服）が似合う」
を使い分けよう

よく出る動詞

arrange	～を取り決める	solve	～を解決する	fit	～にぴったり合う，～に適している
spend	（お金，時間を）費やす	seem	～のように見える	taste	～の味がする
smell	～のにおいがする	wish	～ならいいのに	accept	～を受け入れる
explain	（～を）説明する	imagine	（～を）想像する	notice	（～に）気づく
rely	頼る	achieve	～を達成する	judge	～を判断する
suggest	～を提案する	argue	～と主張する	admit	～を認める

I (**arrange**) a meeting. ミーティングを取り決める。
I (**solved**) a difficult problem. 難しい問題を解決した。
This dress (**fits**) me well. このドレスは私にぴったり合う。
I (**spent**) 2 hours watching videos.
動画を見るのに2時間を費やした。
He (**seems**) to be sick. 彼は病気のようだ。
These cookies (**taste**) good. これらのクッキーはおいしい。
It (**smells**) good. いいにおいがする。
I (**wish**) you were here. あなたがここにいればいいのに。

💡 覚えよう
seem, taste, smellなどは「知覚動詞」とよばれ，be動詞のような使い方をします
These cookies are good.
These cookies taste good.

練習問題

(1) 2　(2) 3　(3) 3　(4) 4　(5) 1　(6) 1

解説

(1) A：服，かばんに靴…。今日，これら全部を買ったの？全部でいくらかかったの？
B：約90ドルよ。そんなに高くないよね？
▶ 主語theyは買ったものを指すので，costが正解。

(2) 私の夢は俳優になることです。私はあまりオーディションに受かりませんが，母はいつも諦めないでと励ましてくれます。
▶ 1 ～を気にする　2 どうにかする
3 ～を励ます　4 ～を脅す

(3) A：あなた，このラグを見て。これ，うちのソファに合うと思う？
B：ああ，でもうちの居間には合わないだろうね。大きすぎるよ。
▶ matchは物が調和している様子を，suitは似合うなどの条件が合うことを，fitは大きさが合うことを表す。

(4) A：昨日の夜，君がすすめてくれた映画を見たよ。とてもわくわくした。
B：気に入ってくれてうれしいよ。新しい映画を見に行くつもりなんだ。僕と一緒に来る？

(5) A：アリスはどこ？
B：ちょっと前まで机にいたんだけど。彼女が部屋を出たことに気づかなかったわ。

(6) 医者が健康のためにダイエットをするよう指示していたので，私は炭水化物が多い食べ物を避けています。

PART 2 よく出る動詞②
反対の意味とセットで覚える

反対の意味とセットで覚える動詞

(**agree**) 賛成する ←→ disagree 反対する
appear 出現する ←→ (**disappear**) 消滅する
(**catch**) ～をつかまえる ←→ miss ～し損なう，いなくてさみしく思う
(**include**) ～を含む ←→ exclude ～を除外する
(**increase**) 増加する，～を増やす ←→ decrease 減る，～を減らす
pass 合格する ←→ (**fail**) 不合格になる
praise ～をほめる ←→ criticize ～を批判する
(**produce**) ～を生産する ←→ consume ～を消費する
arrive 到着する ←→ (**leave**) ～を出発する／depart 出発する
(**win**) 勝つ／gain 得る ←→ lose 負ける，～を失う
lend ～を貸す ←→ borrow ～を借りる
hire ～を雇う ←→ (**fire**) ～を解雇する
employ ～を雇う ←→ dismiss ～を解雇する

💡 覚えよう
接頭語disは「離れて」という意味。
dis＋agree（賛成から離れる）→反対する
dis＋appear（出現から離れる）→消滅する

💡 覚えよう
接頭語
in（中に）
ex（外に）

⚠ 注意！
rentは「（お金を払って）～を賃借りする」

練習問題

(1) 2　(2) 3　(3) 1　(4) 4　(5) 4　(6) 3

解説

(1) 彼女はいつも他のだれもがやりたがらないことをします。彼女は私たちみんなが称賛するような人なのです。
▶ 1 同意する　2 ～を称賛する
3 ～を許す　4 ～に助言する

(2) ウィルソンさんは病気のために2か月仕事を休む予定です。なので，私はほかのだれかをパートタイムで雇わなければなりません。
▶ 1 ～を辞める　2 ～を解雇する
3 ～を雇う　4 ～を探検する

(3) 私はこのゴシップ記事は本当だと思います。しかし，そうではないかもしれないという可能性は否定できません。
▶ 1 否定する　2 罰する　3 ふりをする　4 創造する

(4) ますます多くの人が自分のスマートフォンですべてを行うようになったため，パソコンユーザーの数は減っています。
▶ 1 増える　2 集める　3 改善する　4 減る

(5) 多くの人が，政府が選挙公約を守れていないことについて，非難しています。
▶ complainは自分の不満を表すときに使い，criticizeは人の行為をとがめるときに使う。

(6) ジョアンは支店での業績が認められました。彼女は本店での新しい役職を提案されました。

類語とセットで覚える

類語とセットで覚える動詞1

start	始まる，～を始める	give	～を与える
begin	始まる，～を始める	(provide)	～を供給する
(finish)	～を終える	search	～を探す
complete	～を完成させる	seek	～を探し求める
study	～を勉強する	(improve)	～を向上させる
(learn)	～を学ぶ	develop	～を発展させる
(practice)	～を練習する	(express)	～を表現する
train	～を訓練する	display	～を表示する
hold	～を手に持つ	travel	旅行する
carry	～を持ち運ぶ	access	～にアクセスする
help	～を手伝う	gather	～を寄せ集める
(support)	～を支える	(collect)	～を集める

(draw)	～を描く
paint	～を（筆で）塗る

apologize	謝る
(forgive)	～を許す

(design)	～をデザイン［設計］する	(choose)	～を選択する
create	～を創造する	pick	～を摘み取る，～を選ぶ
produce	～を作り出す	select	～を選択する
(connect)	～をつなぐ，～を接続する	(explain)	～を説明する
combine	～を結び付ける	clarify	～を明らかにする
unite	～を結合する，～を団結させる	elucidate	～を解明する

16

類語とセットで覚える，注意すべき動詞

類語とセットで覚える動詞2

ask	～を尋ねる	(decide)	～を決意する
inquire	～を尋ねる	determine	～を決意する
(allow)	～を許す，～を認める	tell	～に話す
permit	～を許可する	inform	～に知らせる
let	～させる，～することを許す	mention	～について述べる
injure	～を傷つける，～にけがをさせる	(discuss)	～について話し合う
(hurt)	～を傷つける，痛む	insist	（～だとしつこく）主張する
harm	～に害をおよぼす	argue	（～だと）主張する，反対する

re から始まる動詞

repeat	～を繰り返す	remove	～を取り除く	replace	～に取って代わる
refresh	～を元気づける	repair	～を直す	respond	返事をする
recover	～を取り戻す	remind	～に思い出させる	reject	～を拒む
recycle	～を再生利用する	review	～を見直す	reduce	～を減らす

注意すべき動詞

face 顔：動詞で「（人や物）に面する」，「（困難など）に直面する」を意味します。

(fix) ～を固定する：「（日時・場所など）を定める」という意味で使われたり，口語的に「～を修理する」という意味で使われたりもします。

marry ～と結婚する：他動詞なので，marry O「Oと結婚する」のように使います。また，get married to ～「～と結婚する」という表現もあります。

(claim) ～だと主張する：日本語での「クレームをつける」は，complain（不平を言う）を使います。

lay ～を横たえる：lay-laid-laid-laying という活用をします。他動詞であることに注意しましょう。自動詞の lie（横たわる）の活用は lie-lay-lain-lying です。また，別の意味の自動詞 lie（うそをつく）の活用は lie-lied-lied-lying となります。

> (!) 注意！
> × get married with ～ としないように

> (!) 注意！
> claim には「不平・不満を言う」という意味合いはありません

18

練習問題

(1) 1　**(2)** 3　**(3)** 2　**(4)** 4　**(5)** 3　**(6)** 4

解説

(1) マークは母親のために花を集めに外出しました。彼女は病気で一日中寝ています。
　▶ 文脈から gather（～を集める）が最も適切。offer ～ to … は「…に～を提供する，～を勧める」という意味合い。

(2) だれかを怒らせてしまったとき，すぐに謝るのが大切です。

(3) A：私のコンピューターを見に来てください。画面におかしなメッセージが表示されています。
　B：それはよくありませんね。お父さんに助けてもらうべきです。
　▶ display（～を表示する）の過去分詞が文脈に最も合う。

(4) A：ジェイソン，スリッパを履いて家を出てはいけません！
　B：あぁ，気づきもしませんでした。靴を履く間，ケーキを持ってくれませんか。
　▶ 1 ～を借りる　2 ～を運ぶ　3 ～を手渡す　4 ～を持つ

(5) A：昨夜の試合であなたが怪我をしたと聞きました！ 何があったのですか。
　B：ええと，ひざと足をつなぐ骨の1本を折ってしまいました。私は何時間も病院にいました。
　▶ connects（～をつなぐ）が最も適切。combine ～ with … は「…と～を結合させる」という意味。

(6) 私は今年，学校の演芸会で演じることを計画しています。私はダンスがしたいと思っていますが，まだ曲を選んでいません。

練習問題

(1) 4　**(2)** 4　**(3)** 3　**(4)** 2　**(5)** 1　**(6)** 4

解説

(1) 私は彼女がミュージシャンだと知りませんでした。彼女はこれまで一度もそれについて私に話したことがありません！
　▶ mention（～を話に出す，～にふれる）の過去分詞が文脈に最も合う。She has never told me about that before. なら自然な言い回しになる。

(2) 公園の鳥にパンを与えるのはやめるべきです。それは本当に鳥の健康を害するおそれがあります。

(3) 私はオフィスへ行く途中でベーカリーを通り過ぎます。その匂いがいつも，おばあちゃんがよく私に焼いてくれたクッキーを思い出させます。

(4) 道で知らない人がやって来て，私がその人に500ドルの借りがあると主張しました。
　▶ 1 ～を欲している　　2 ～と主張している
　　3 ～と返答している　4 成り立っている

(5) 赤ちゃんが私の腕の中で眠ったので，彼女をベッドにできるだけ慎重に横たえました。
　▶ lay（～を横たえる）の過去形が文脈に最も合う。lie は lie（うそをつく）の過去（分詞）形。

(6) 何カ月もかけて提案書に力を注ぎました。上司がそれほど即座にそれを却下したことが私は信じられませんでした。
　▶ 1 ～と主張した　2 ～を励ました
　　3 ～を減らした　4 ～を却下した

(2)

PART 5

よく出る名詞①
教育, 職業

準2級になると，目に見えない抽象的な概念を表す語がとても多く出題されます。「教育」関連の名詞も，3級までは学校の教科がメインだったのが，準2級からは「研究」「能力」などに関する語が加わります。

graduation	experiment	(**gift**)	(internet)
（卒業）	（実験）	才能, 贈り物	インターネット

教育　education

entrance	入学, 入口	examination	**試験**	fee	授業料, 料金
grade	成績	institute	学校, 研究機関	department	部門,(大学の)学部・学科

研究　research

article	記事	author	筆者	conference	会議, 協議会
discovery	**発見**	knowledge	知識	method	方法
project	企画	presentation	発表	document	文書, 記録

能力　ability

chance	機会	effort	**努力**	experience	経験

テクノロジー　technology

information	情報	network	ネットワーク	operation	操作, 手術

職業　job

owner	所有者	**professor**	教授	principal	校長
expert	専門家	boss	上司	co-worker	同僚, 協力者
president	大統領	carpenter	大工	police	警察
engineer	エンジニア	explorer	探検家	sailor	船乗り
actor	俳優	photographer	写真家, カメラマン	author	著者, 作家

練習問題

(1) 1　**(2)** 2　**(3)** 3　**(4)** 1　**(5)** 3　**(6)** 1

解説

(1) アランは学生のときから広範囲の活動に携わっています。例えば，彼は農場でのボランティアに参加しています。
▶ **1** 活動　**2** 能力　**3** 可能性　**4** 声明

(2) 姉はパリでフランス語の知識を得て，今は大学でそれを教えています。
▶ **1** 個性　**2** 知識　**3** 教授　**4** 科学技術

(3) A：君はもうマシューの科学のレポートを読んだかい？　すごいよ。
B：ああ，それは本当に僕をより努力しようという気にさせてくれたよ。
▶ **1** 名誉　**2** 結論　**3** 努力　**4** 効果

(4) 現段階では特効薬がない病気が数多くあります。
▶ **1** 病気　**2** 災害　**3** がん　**4** 風邪

(5) このグラフは，生徒の60％以上が学校生活にストレスを感じていることを表しています。最も深刻な要因は友人関係です。
▶ **1** 感覚　**2** 技能　**3** ストレス　**4** 供給

(6) A：次のセミナーのテーマは何ですか。
B：「江戸時代の芸術文化」です。スミス氏が歌舞伎について講演をします。

PART 6

よく出る名詞②
生活, 抽象的なこと

生活・自然

address	住所	**area**	地域, 区域	dormitory	寮
lighthouse	灯台	**nature**	自然, 性質	rock	岩
shelter	避難所, 住まい	sunlight	日光	cash	現金
credit	借入, クレジット	price	価格, 物価	reservation	予約
sale	販売, 特売, セール	tourist	観光客, 旅行者	clothes	衣服

抽象的なこと

advantage	有利な点, 利益	effect	影響	excuse	言い訳
fact	事実	**future**	未来	mistake	間違い, 誤り
purpose	目的	**trouble**	トラブル, 悩みの種	**reason**	理由
result	結果, 成果	solution	解決（策）	substance	物質, 実質

数・量

century	1世紀, 100年	million	100万	amount	量, 合計
average	平均	plenty	たくさんの, 豊富さ	decade	10年間

apartment	(**center**)	climate	(**coast**)
アパート	中心, センター	（気候）	海岸, 沿岸

factory	fossil	(**idea**)	secret
（工場）	（化石）	考え, アイデア	（秘密）

練習問題

(1) 2　**(2)** 4　**(3)** 4　**(4)** 2　**(5)** 2　**(6)** 1

解説

(1) A：しまった！　終電を逃したうえに，タクシーを使う十分なお金も持っていない。
B：深夜バスに乗れると思うよ。運賃はタクシーよりも安いよ。
▶ **1** 借金　**2** 運賃　**3** 信用　**4** 口座

(2) A：すみません。ショーウィンドーにあるのと同じシャツを何枚か買いたいのですが。
B：すみません。ただいま在庫がないのですが，取り寄せることができます。必要な量を教えてください。

(3) スコットさんはNGOを設立しました。その目的は，ミャンマーのすべての子どもに教育の機会を与えることです。
▶ **1** 機会　**2** 原因　**3** 結果　**4** 目的

(4) 搭乗客の皆さまにお知らせいたします。NAL航空474便ロサンゼルス行きは悪天候により遅れております。
▶ **1** 顧客　**2** 乗客　**3** 通行人　**4** ライダー

(5) A：アラン，君は今では僕の良い友人だ。でも実は，君に最初に会ったとき，君に悪い印象を持ったんだ。
B：本当に？　僕もだよ！
▶ **1** 感覚　**2** 印象　**3** 外見　**4** 供給

(6) A：すみません。博物館に行くにはどの駅で降りればいいですか。
B：残念ながら，間違った方向の電車に乗っていますよ。
▶ **1** 方向　**2** 決心　**3** 10年間　**4** 距離

PART 7 よく出る名詞③
心理，健康，性質

学習日 ★理解度
□カンペキ！
□もう一度
□まだまだ…

心理

appreciation	感謝	attitude	態度,姿勢	imagination	想像
sense	感覚	behavior	態度,ふるまい	interest	興味
courage	勇気	habit	習慣	honor	名誉
difficulty	困難	faith	信念	expression	表現,表情
horror	恐怖	belief	信念	influence	影響
fear	恐れ,懸念	decision	決断	effect	効果,影響

健康

health	健康	clinic	診療所	headache	頭痛
medicine	薬	death	死	pain	痛み
beauty	美しさ	reaction	反応	issue	問題
disease	病気	brain	脳,頭脳	emergency	緊急事態
skin	皮膚	stomach	胃,腹	exercise	運動,練習
diet	飲食物,ダイエット	movement	動き,活動	meal	食事
temperature	温度,体温	fever	熱	vegetable	野菜

性質

character	性格,登場人物	nationality	国籍	flavor	風味
quality	質	race	人種	generation	世代
shape	形,状態	strength	強さ,長所	enemy	敵

24

PART 8 よく出る名詞④
余暇・買い物，交通・場所

学習日 ★理解度
□カンペキ！
□もう一度
□まだまだ…

余暇・買い物

photograph	写真	fashion	流行,ファッション	advertisement	広告,宣伝
actor	役者	delivery	配送(品)	customer	顧客
event	出来事,イベント	ceremony	式典	discount	割引
dessert	デザート	instrument	器具,楽器	receipt	領収書
activity	活動	recipe	レシピ	wallet	財布
entertainment	娯楽	aquarium	水槽,水族館	fair	品評会,市
decoration	装飾	celebration	祝賀	market	市,市場
exhibition	展示(会)	attraction	呼び物,アトラクション	aisle	(スーパーや劇場などの)通路

交通・場所

traffic	交通(量)	distance	距離	transportation	交通機関,輸送
vehicle	車,乗り物	route	経路	crowd	群衆,人混み
accident	事故,偶然	avenue	大通り	fuel	燃料
passenger	乗客	corner	角	license	免許(証)
view	眺望,見方	capital	首都,資本	location	場所,位置
countryside	田舎	arrival	到着	safety	安全(性)
journey	旅	site	場所,サイト	fare	運賃
resort	リゾート地	track	小道,線路	charge	料金,手数料
adventure	冒険	voyage	航海,長旅	baggage	手荷物
memory	記憶(力),思い出	attendant	係員	sign	標識,兆候
flight	定期航空便,フライト	signal	合図,信号(機)	navigation	航行,ナビゲーション

26

練習問題

(1) 2　(2) 1　(3) 4　(4) 4　(5) 3　(6) 3

[解説]

(1) 1週間経ってもよくならない健康上の問題があるようなら，あなたは時を選ばずに医師に診てもらったほうがいいです。
 ▶ 1 原因　2 問題　3 改善　4 痛み

(2) A：リナがそれほど上手に演じられるなんて知りませんでした！
 B：彼女の表現はすばらしかったです！　彼女はすべて現実に感じているかのように見えました。
 ▶ 1 表現　2 攻撃性　3 態度　4 性格

(3) 私は一日に3回食べるのではなく，少しの食事を5回取ることにしました。今は，日中にそれほどおなかが減りません。

(4) A：あなたはなぜ私にプレゼントを買ってくれたのですか。今日は私の誕生日ではありません。
 B：私はあなたがしてくれることに対してただ感謝を伝えたかったのです。ありがとう。
 ▶ 1 反応　2 ふるまい　3 印象　4 感謝

(5) 教師は生徒に想像力を働かせて自分たちで物語を完成させるよう言いました。

(6) 彼ほど才能に恵まれた野球選手は一世代に1人しか現れません。彼は長く記憶されることでしょう。
 ▶ 1 国籍　2 人生　3 世代　4 国

練習問題

(1) 3　(2) 2　(3) 2　(4) 3　(5) 1　(6) 1

[解説]

(1) A：あなたはジェイソンの誕生日パーティーの場所を知っていますか。
 B：はい，郵便局の隣のイタリアンレストランです。
 ▶ Bが場所を答えているので,location(場所)が最も適切

(2) 私はこの水族館に以前来たことがありますが，前回は違うルートを通ったと思います。私が覚えているよりも長くかかっています。
 ▶ 2文目で，覚えているより長くかかっていると述べているroute(道，ルート)が文脈に最も合う。

(3) 商品に問題がありましたらお電話ください。お客様サポートに追加料金はかかりません。

(4) 彼らは飛行機に搭乗しているすべての乗客に，電話を機内モードに切り替えるよう伝えました。
 ▶ 1 リピーター　2 訪問者　3 乗客　4 客

(5) A：ペットフードがどこにあるか教えていただけますか。
 B：もちろんです。隣の通路の清掃商品の横にあります。
 ▶ aisle(発音注意。sは発音しない)は，劇場や列車，スーパーの商品棚の間などの通路を指す。

(6) 私は自分の会社の広告を新聞に載せようと思っています。もっと顧客を見つける必要があるのです。

4

PART 9 よく出る形容詞・副詞
量・時を表すイディオム

学習日 ／
★理解度
□カンペキ！
□もう一度
□まだまだ…

形容詞

形容詞は名詞を修飾するはたらきがあります。反対の意味の形容詞とセットで覚えましょう。

（comfortable）⇔ uncomfortable
快適な／居心地の悪い

safe ⇔ dangerous
安全な／危険な

（easy）⇔ difficult
簡単な／困難な

true ⇔（false）
本当の／間違った

（expensive）⇔ cheap
高価な／安い

special ⇔ general
特別な／一般的な

（quiet）⇔ noisy
静かな／うるさい

覚えよう

rarely, seldom
「めったに～ない」
頻度を否定

hardly
「ほとんど～ない」
程度を否定

量を表すイディオム

more or less	多かれ少なかれ	a glass of ～	グラス1杯の～
plenty of ～	たくさんの～	a bunch of ～	ひと束の，ひと房の
a number of ～	多くの～，多数の～	a couple of ～	2，3の～

時を表すイディオム

so far	今までのところ，そこそこでは	at first	初めは
in the first place	まず第一に，そもそも	ahead of ～	～に先立って
all the time	いつでも，その間ずっと	all the year round	1年中
all at once	突然に，不意に	after all	結局
in time	間に合って	on time	時間通りに
in the past	これまでに，昔は	in advance	あらかじめ
right away	ただちに	from now on	今後ずっと

練習問題

(1) 4　(2) 3　(3) 2　(4) 4　(5) 2　(6) 2

解説

(1) 彼女は2年前に運転免許を取ったと私に言いました。
▶ 過去完了の文なのでbeforeを使う。

(2) A：あなた，弟から電話があって3,000ドル貸してほしいって頼まれたの。
B：また？　彼に大金を貸してはダメだよ。彼は借金を返したことがない。
▶ moneyは不加算名詞で，ofが続くことに注目する。

(3) 先生は「十分熱心に勉強している限り，あなたたちのしたいことは何でもしてよい」と私たちに言いました。
▶ enoughは後ろから副詞や形容詞を修飾する。

(4) 私は会議の準備で忙しかったので，朝からほとんど何も食べていません。
▶ hardlyは「ほとんど～ない」と程度を否定する。

(5) A：クレイグから30分くらい前に電話があったよ。ぐっすり眠っていたから起こさなかったよ。
B：ありがとうお父さん。あとで彼に電話するわ。
▶ asleep「眠って」，fast「ぐっすりと」

(6) 先月，ジョーダンはスイミングスクールでインストラクターとして働き始めました。彼は10歳以下の子どもたちを指導する責任があります。

PART 10 よく出るイディオム①
基本動詞のイディオム

学習日 ／
★理解度
□カンペキ！
□もう一度
□まだまだ…

イディオムとは，動詞が他の語句と一緒になり別の意味を表す熟語のこと。イディオムを覚えておくと，選択問題，長文問題の両方で有利です。

take を含む熟語　takeの基本の意味は「取る」です。

○ **take part in ～** ～に参加する
I decided to take（**part**）in the lunch meeting. ランチミーティングに参加することを決めた。

○ **take a seat** 座る
Please take a（**seat**）by the window. 窓際の席に座ってください。

○ **take off ～** （身につけていたもの）を脱ぐ，取る
Please take（**off**）your coat in the restaurant. レストランではコートを脱いでください。

○ **take a look at ～** ～を見る
Let me take a look（**at**）the menu. メニューを見せて。

○ **take A back to B** AをBに返品する
I'll take the shoes（**back**）to the shop. 靴をお店に返品します。

○ **take care of ～** ～の世話をする
I take（**care**）of her cat. 彼女の猫の世話をする。

get を含む熟語　getの基本の意味は「得る」です。

○ **get better** （病気などが）よくなる，上手になる
He was sick in bed, but now he is getting（**better**）. 彼は病気だったが，今はよくなりつつある。

○ **get A to do** Aに～してもらう
I'll get my sister（**to**）help me choose my shoes. 姉に靴を選ぶのを手伝ってもらいます。

○ **get together** 集まる
Shall we（**get**）together with friends? 友達と集まりましょうか？

○ **get away from ～** ～から逃げる，離れる
I'll get away（**from**）the bad habit. 悪い習慣から離れます。

○ **get along with ～** ～とうまくやっていく
He's easy to get along（**with**）. 彼はうまくやっていきやすい。

○ **get married** 結婚する
I'd like to（**get**）married to him someday. いつか彼と結婚したい。

PART 11 よく出るイディオム②
基本動詞のイディオム

学習日 ／
★理解度
□カンペキ！
□もう一度
□まだまだ…

go を含む熟語　goの基本の意味は「行く」です。

go（**ahead**）先に行く　｜　（**go**）through ～（苦難などを）経験する　｜　go（**wrong**）（物事が）うまくいかない，（機械などが）故障する　｜　（**go**）against ～ ～に反する，～に従わない

come を含む熟語　comeの基本の意味は「来る」です。

come up with ～	～を考え出す	come close to ～	危うく～しそうになる
come across ～	～をふと見つける，～に偶然出会う	come true	実現する
come out	（太陽，月などが）出る	come along	現れる

make を含む熟語　makeの基本の意味は「作る」です。

make progress	進歩する	make fun of ～	～をからかう
make sure (that) ～	～であることを確実にする	make sense	意味をなす
make a mistake	間違える	make a decision	決定する，決意する
make friends with ～	～と友達になる	make noise	音を立てる，うるさくする

〈be動詞＋形容詞＋前置詞〉　前置詞までセットで覚えます。

be dependent on ～	～に依存している	be independent of ～	～から独立している
be proud of ～	～を誇りに思う	be responsible for ～	～に対して責任がある
be satisfied with ～	～に満足している	be similar to ～	～と似ている
be tired of ～	～に飽きている	be different from ～	～と異なる
be familiar with ～	～に精通している	be full of ～	～でいっぱいである
be based on ～	～に基づいている	be interested in ～	～に興味がある

32

PART 12 前置詞
前置詞のはたらきと種類

学習日 ／

★理解度
□カンペキ!
□もう一度
□まだまだ…

前置詞は、名詞などの前に置かれて、前置詞句をつくります。前置詞句は、文の中で「修飾語」の役割をします。

💡覚えよう

前置詞は、「名詞」の前に置かれる詞

基本の前置詞(at, on, in)のイメージ

at は「点」　　on は「接触」　　in は「含有」

	at	on	in
場所	at the traffic light 信号のところで at the bus stop バス停で	on this street この道に on the wall 壁に	in the room 部屋で in the park 公園で
時	at 8:30 p.m. 午後8時30分に at 6 o'clock 6時に	on Monday 月曜日に on September 5 9月5日に	in the morning 午前中に in summer 夏に in 2010 2010年に

そのほかの前置詞

場所

above	高い所に	over	覆いかぶさって
to	～に向かって	under	真下に
into	中に向かって	out of	～の中から
below	低い所に	by	そばに

時

after	～後に	within	～以内に
for	～間	since	～以来
until	～までずっと	by	～までに
during	～の間に	from	～から

33

PART 13 接続詞
2種類の接続詞

学習日 ／

★理解度
□カンペキ!
□もう一度
□まだまだ…

接続詞は、2つの「文」を結び付けて1つにします。
接続詞には「等位接続詞」と「従属接続詞」があります。

💡覚えよう

either A or B
「AかBか」
neither A nor B
「AもBも～ない」

等位接続詞　対等に結ぶ　ふつう文頭には来ません。

and	そして	but	しかし	for	だから
yet	しかし	nor	～もまた…ない	or	あるいは
so	だから				

I like Sara (and) she is smart. 私はサラが好きで(そして)、彼女は頭がよいです。

従属接続詞　差をつけて結ぶ　文頭に来ることもあります。

時を表す接続詞

when	～するときに	while	～している間に	since	～して以来
after	～した後に	before	～する前に		

原因・目的を表す接続詞

because	～なので	as	～なので
now that	今や～なので	so that	～するために

💡覚えよう

so＋形・副＋that …
such＋名＋that …
「とても～なので…」

条件・譲歩を表す接続詞

if	もし～ならば	unless	～しない限り	in case	もし～ならば
although	～にもかかわらず	though	～にもかかわらず		

接続詞がついているほうが従属節(時、理由、条件を表す)、
ついていないほうが主節です。

I like Sara (because) she is smart. 私はサラが好き、なぜなら頭がよいから。
主節　　　　　従属節

(Because) Sara is smart, I like her. サラは頭がよいから、私は彼女が好き。
従属節　　　　　　　　　　　主節

PART 14 過去完了形・現在完了進行形
動詞のいろいろな時制

学習日 ／

★理解度
□カンペキ!
□もう一度
□まだまだ…

過去形　動詞の時制を合わせます。

I thought that she (was) tired.
過去形　　　　　　　過去形

私は彼女は疲れていると思いました。

現在完了形　「過去」が「現在」に影響を与えていることを示します。

① 「～してしまった」 動作の完了、その結果としての現在の状態を表す。

My teacher (has) (left) for Madrid.
〈has＋過去分詞〉

私の先生はマドリードに向けて出発してしまった。

② 「ずっと～している」 現在までの継続を表す。

I (have) (known) her since she was a college student.
〈have＋過去分詞〉　　　　「～から、～以来」

私は彼女が大学生だったときから知っています。

③ 「～したことがある」 現在までの経験を表す。

I (have) (watched) this video many times.
〈have＋過去分詞〉

この動画は何度も見たことがあります。

現在完了形の文には、下のような期間を表す語句がつきます。

for ten years	10年間	since 2010	2010年以来

過去完了形　過去のある時点より前の出来事を表す。

I (had) (cleaned) my room when she arrived.
〈had＋過去分詞〉　　　　　　　　　　　　過去形

私は彼女が到着したとき、部屋をきれいにしてしまっていました。

現在完了進行形　過去が現在にずっと影響を与えてきたことを表す。

I (have) (been) (eating) a lot for the past five years.
〈have＋been＋現在分詞〉　　　　　　　過去から現在に続く期間

私は過去5年間ずっとたくさん食べてきました。

PART 15 助動詞
wouldとshould

学習日 ／

★理解度
□カンペキ!
□もう一度
□まだまだ…

would の意味　willの過去形

① 「どうしても～しようとしなかった」

He (would) (not) do the homework.

彼はどうしてもその宿題をしようとしなかった。

💡覚えよう

willには「～だろう」(未来)や、「～しよう」(意思)の意味があります

② 「よく～したものだ」

When I was young, I (would) often travel alone.

若い頃はよく一人旅をしたものだ。

③ 「～していただけませんか」

(Would) (you) close the door? ドアを閉めていただけませんか。

should の意味　shallの過去形

① 「～すべきである」

She (should) (not) make excuses. 彼女は言い訳をすべきではない。

② 「当然～するはずである」

The plane (should) be landing right on schedule.

その飛行機は予定通りに着陸するはずです。

助動詞＋過去分詞

may have＋過去分詞	～したかもしれない
must have＋過去分詞	～したに違いない
cannot have＋過去分詞	～したはずがない
should have＋過去分詞	～すべきだったのに(しなかった)

助動詞の表現

had better ~	～したほうがいい、～すべきだ	ought to ~	～すべきだ
can't ~ too …	いくら～しても…すぎることはない	can't help ~ing	～せざるをえない

PART 16 不定詞
不定詞の3つの用法

学習日 ／

★理解度
□カンペキ!
□もう一度
□まだまだ…

不定詞 〈to＋動詞の原形〉

不定詞には「名詞的用法（～すること）」、「形容詞的用法（～するための）」、「副詞的用法（～するために）」の3つの用法があります。

「～すること」 名詞的用法（名詞のはたらきをする）

(To)(use) his computer is difficult.
彼のコンピューターを使うことは難しいです。

「～するための」 形容詞的用法（前の名詞や代名詞を修飾する）

I have a lot of work (to)(do) this month.
今月はするための仕事（するべき仕事）がたくさんあります。

「～するために」「…して～になる」 副詞的用法（前の動詞を修飾する）

I will do my best (to)(satisfy) my clients.
私は顧客を満足させるために最善を尽くします。

She grew up (to) be a doctor.
彼女は成長して医者になりました。

〈疑問詞＋不定詞〉

疑問詞に不定詞（to＋動詞の原形）がついた形を確認しましょう。

・what to ～（何を～するか）

I haven't decided (what) to bring. 私は何を持っていくか決めていません。

・who to ～（だれを～するか）

I don't know (who) to trust. 私はだれを信じればよいか分かりません。

・when to ～（いつ～するか）

(When) to get started is important. いつ始めるかが重要です。

・where to ～（どこで～するか）

Ask her (where) to stay. どこに泊まればいいか彼女に聞いてください。

・how to ～（どのように～するか、～の仕方）

Tell me (how) to use this app. このアプリの使い方を教えてください。

PART 17 動名詞
動名詞のはたらき

学習日 ／

★理解度
□カンペキ!
□もう一度
□まだまだ…

動名詞 〈動詞に～ingがつく形〉

動名詞は「～すること」と訳します。動名詞は、動詞と名詞のはたらきを兼ね備えています。

① 主語 (Studying) English is my habit. 英語を勉強することは私の習慣です。
　　　　主語

② 補語 My hobby is (taking) pictures. 私の趣味は写真を撮ることです。
　　　　　　　　　　　補語

③ 目的語 I finished (cleaning) the room. 私は部屋を掃除するのを終えました。
　　　　　　　　　　　目的語

〈前置詞＋動名詞〉

前置詞に動名詞を続ける形を確認しましょう。

think of ～ing	～することを考える、～することを検討する
be good at ～ing	～することが得意である
look forward to ～ing	～することを楽しみにする
be used to ～ing	～することに慣れている

不定詞 or 動名詞

動詞には、①不定詞を続けるもの、②動名詞を続けるもの、③どちらも続けるものがあります。

① hope：I hope (to)(see) you.
あなたに会うことを願っています。

② enjoy：We enjoyed (dancing) last night.
昨夜私たちはダンスを楽しみました。

give up：My father gave up (smoking). 父は喫煙するのを止めました。

③ **意味がほぼ同じもの**

like：I like to play chess. / I like playing chess.
私はチェスをするのが好きです。

意味が異なるもの

remember：I'll remember to bring money. お金を忘れずに持ってきます。
I remember saying that. 私はそれを言ったのを覚えています。

37

PART 18 受動態
受動態の作り方と動詞の活用

学習日 ／

★理解度
□カンペキ!
□もう一度
□まだまだ…

受動態は「～される」「～された」という意味を表します。文の形は〈be動詞(am／is／are／was／were)＋過去分詞〉です。

受動態の作り方

メアリーは昨日そのメッセージを送りました。

能動態（通常の文）
Mary sent the message yesterday.

受動態（受け身の文）
The (message) was sent by (Mary) yesterday.
〈be動詞＋過去分詞〉

そのメッセージは昨日メアリーによって送られました。

💡 覚えよう

by以外の前置詞を使うもの
be disappointed with ～
「～にがっかりする」
be pleased with ～
「～に喜ぶ」
be surprised at ～
「～に驚く」
be caught in ～
「（雨）にあう」
be covered with ～
「～で覆われている」
be filled with ～
「～でいっぱいである」
be known to ～
「～に知られている」

動詞の活用

多くの動詞はsend（送る）－sent－sentのように、過去形と過去分詞が同じ形ですが、下の表で例外もしっかり覚えておきましょう。

AAA型

	過去形	過去分詞
cut（～を切る）	cut	cut
put（～を置く）	put	put

ABA型

come（来る）	came	come
run（走る）	ran	run
become（～になる）	became	become

ABC型

write（～を書く）	wrote	written
go（行く）	went	gone
speak（～を話す）	spoke	spoken
do（～をする）	did	done
drive（～を運転する）	drove	driven
eat（～を食べる）	ate	eaten

PART 19 仮定法
事実に反する仮定

学習日 ／

★理解度
□カンペキ!
□もう一度
□まだまだ…

準2級では「仮定法」が出題されます。「もし私が鳥だったら」のように、事実に反する仮定を「仮定法」と言います。

① **仮定法過去** 現在の事実に反する仮定「もし…なら～なのに」

If I (were) you, I (would) accept the offer.
　　　過去形　　　　助動詞の過去形＋動詞の原形

もし私があなたなら、そのオファーを引き受けるのに。

② **仮定法過去完了** 過去の事実に反する仮定「もし…だったなら～だったのに」

If I had had enough money, I (could) have bought the car.
　　過去完了形　　　　　　　助動詞の過去形＋have＋過去分詞

もし十分にお金があったら、その車を買えたのに。

	if節の中の動詞	帰結節の中の動詞
① 「もし…なら～なのに」（仮定法過去）	過去形	助動詞の過去形(would／could／might)＋動詞の原形
② 「もし…だったなら～だったのに」（仮定法過去完了）	過去完了形(had＋過去分詞)	助動詞の過去形(would／could／might)＋have＋過去分詞

I wish(that)S＋V「～なら[だったなら]いいのに」

実現の可能性がない願望・実現しなかった願望です。wishの後に続く動詞は、過去形か過去完了形です。

I wish I were a bird. 私が鳥ならいいのに。

As if S＋V「まるで～である[だった]かのように」

事実と反する仮定です。as ifに続く動詞は、過去形か過去完了形です。

I feel as if you were my father.
私はあなたがまるで私の父であるように感じます。

💡 覚えよう

If it were not for ～
「（今）～がなければ」
If it had not been for ～「（過去に）～がなかったら」

⚠ 注意！

I hope ～. は実現の可能性がある願望で、仮定法ではありません。
hopeの後はwill／canなどです。
I hope that she will show you the progress.
彼女が進歩を見せてくれるといいですね。

39

PART 20 分詞構文
作り方とはたらき

学習日 ／

★理解度
□カンペキ！
□もう一度
□まだまだ…

2つの文が接続詞で結ばれている場合，一方の文の動詞を分詞の形に変えて，副詞句として使うことができます。これが分詞構文です。

分詞構文の作り方

2つの節から成る文から，現在分詞の分詞構文を作りましょう。

<u>When she saw the big dog,</u> <u>Suzie ran away.</u>
従属節　　　　　　　　　　　　　主節

大きな犬を見たときに，スージーは走り去りました。

① 接続詞whenをとる
↓ ~~When~~ she saw the big dog, Suzie ran away.

② 主語が同じならば，従属節の主語をとる
↓ ~~When~~ ~~she~~ saw the big dog, Suzie ran away.

③ 従属節の動詞を～ing形にする
Seeing the big dog, Suzie ran away.

💡 覚えよう

「主節」は，文のメインとなる節のこと
「従属節」は，主節を修飾したり説明したりする節のこと

分詞構文のはたらき

① 現在分詞（～ing形）を使った分詞構文

Playing volleyball, Jane felt very tired.

バレーボールをしたので，ジェーンはとても疲れました。

② 過去分詞を使った分詞構文

Played in many countries, soccer is popular all over the world.

多くの国でプレーされているので，サッカーは世界中で人気があります。

分詞構文には，次のような意味が隠れています。

意味		省略されている接続詞
時	「～するとき」「～したとき」	when／as soon asなど
付帯状況	「～して」「～しながら」	andなど
理由	「～するので」「～したので」	because／since／asなど
条件	「～するならば」「～したならば」	ifなど
譲歩	「～するけれども」「～したけれども」	althoughなど

40

PART 21 比較
原級／比較級／最上級

学習日 ／

★理解度
□カンペキ！
□もう一度
□まだまだ…

原級

Mike is as tall as Jim. マイクはジムと同じくらい背が高い。
└ -er, -estがつかない元の形

A is+倍数+as ... as B	AはBの～倍…である（倍数とは，twice：2倍，three times：3倍，half：半分など）
as ～ as possible	できるだけ～
as many[much] as ～	～もの数[量]の
not so much A as B	AというよりはむしろB

比較級

Nancy is (taller) than Mike. ナンシーはマイクよりも背が高い。
〈比較級（-er）+than+比べる人〉

The+比較級～, the+比較級 ...	～すればするほど…
no more than ～	ほんの～だけ，～しか
no longer ～	もはや～でない

💡 覚えよう

表の慣用表現はすべて暗記しておこう

最上級

Nancy is the (tallest) of the three. ナンシーは3人の中で最も背が高い。
〈最上級（-est）+ of や in〉

最上級の内容を表す原級・比較級	
No (other) A ... as+原級+as B	（他の）どのAもBほど～でない
No (other) A ... 比較級+than B	（他の）どのAもBより～でない
A ... 比較級+than any other B	Aは他のどのBよりも～

不規則な変化			
原級		比較級	最上級
good（よい），well（上手に）		better	best
bad（悪い），ill（病気の）		worse	worst
many（数が多い），much（量が多い）		more	most
little（少ない）		less	least

41

PART 22 関係代名詞
関係代名詞の種類とはたらき

学習日 ／

★理解度
□カンペキ！
□もう一度
□まだまだ…

関係代名詞には，「接続詞」のように，2つの文をつないで1つの文にするはたらきがあります。また，「（代）名詞」のように，後の節の中で主語や目的語になります。

関係代名詞の種類

先行詞＼役割	主格	所有格	目的格
人	who	whose	whom (who)
物事	which	whose	which
人・物事	that	———	that

① 主格の関係代名詞のはたらき

I know <u>the girl</u>. ＋ <u>She</u> is from Italy.
私は女の子を知っています。　彼女はイタリア出身です。

I know <u>the girl</u> (who) is from Italy.
　　　 先行詞「人」　　　関係代名詞

私はイタリア出身の<u>女の子</u>を知っています。

② 所有格の関係代名詞のはたらき

I know <u>the girl</u>. ＋ <u>Her</u> father is a dentist.
私は女の子を知っています。　彼女の父は歯医者です。

I know <u>the girl</u> (whose) father is a dentist.
　　　 先行詞「人」　　　関係代名詞

私は父が歯医者である<u>女の子</u>を知っています。

③ 目的格の関係代名詞のはたらき

This is <u>the movie</u>. ＋ I saw <u>it</u> last night.
これは映画です。　　　　私は昨夜それを見ました。

This is <u>the movie</u> (which) I saw last night.
　　　 先行詞「物」　　　関係代名詞

これは私が昨夜見た<u>映画</u>です。

⚠️ 注意！

目的格の関係代名詞は省略できます

42

PART 23 関係副詞
関係副詞の種類とはたらき

学習日 ／

★理解度
□カンペキ！
□もう一度
□まだまだ…

関係副詞には，「接続詞」のように2つの文をつないで1つの文にするはたらきがあります。また，後の節の中で「副詞」の役割をします。「副詞」は修飾語なので，関係副詞がなくても文は成立します。

関係副詞の種類

	先行詞（省略できます）	関係副詞
時	the time／the day など	when
場所	the place／the town など	where
理由	the reason	why
方法	the way	how

💡 覚えよう

「関係副詞」はただの修飾語なので，その副詞を抜いても「完全な文」です

💡 覚えよう

先行詞は省略することもできます

① 先行詞が「時」の場合

Please let me know <u>the time</u> (when) you will come.
　　　　　　　　　 先行詞「時」　　関係副詞

あなたが来る<u>時間</u>を教えてください。

② 先行詞が「場所」の場合

This is <u>the park</u> (where) I used to play.
　　　 先行詞「場所」　　関係副詞

ここは私がよく遊んだ<u>公園</u>です。

③ 先行詞が「理由」の場合

I don't know <u>the reason</u> (why) she refused the offer.
　　　　　　 先行詞「理由」　　関係副詞

私は彼女が申し出を断った<u>理由</u>がわかりません。

⚠️ 注意！

the way howはダメ。howは先行詞と一緒には使えません

④ 先行詞がなく，「方法」を表す場合

That's (how) they have reached an agreement.
　　　　　=the way

そのようにして彼らは合意に達しました。

8

PART 24 会話表現①

勧誘・依頼

学習日 ／

★理解度
□カンペキ！
□もう一度
□まだまだ…

準2級では，勧誘・依頼の表現の出現する場面が多岐にわたります。I want to ～の丁寧な表現であるI would like to ～やWhy don't we ～? を含む表現，Would you mind ～ing? などの丁寧にお願いするパターンなどを確認しておきましょう。

would likeを含む表現

Would you (like) to leave a message?
メッセージを残されますか。

I (would) like to make a reservation.
予約を取りたいのですが。

その他の丁寧な表現

Why don't we ～?「～するのはどうですか」

(Why) don't we go out tonight?
今晩出かけませんか。

| Of course.
もちろん。 | No problem.
問題ないですよ。 |
| I'd be glad to.
喜んで。 | Sure, I'd love to.
ぜひ，喜んで。 |

Would you mind ～?「～してもいいですか」

Would you (mind) if I open the window?
窓を開けてもいいですか。
— Go ahead. どうぞ。

！注意！

mindは「～を気にする」という意味なので，答え方に注意。承諾する場合は，No.（気にしません）断る場合は，Yes.（気にします）

命令文＋please

Attention, please. お客様（聞いてください）。

B：そう。本当にありがとう。
▶ 1 もちろん，そうだよ。　2 いえ，今は忙しいです。
4 それを運ぶことはできますか。
空所の前はDo you mind ～?で直訳すると「～を気にしますか」という婉曲的な依頼の文。なので，Yesの意味で答えると，「気にします」＝「やれません」という意味になってしまう。よって，この文では，依頼を受諾する場合はNoで答える。

(3)・(4)

A：来週のパーティーに着ていく服がないわ。リンダ，ドレスを貸してくれる？
B：ええ。私は白と黒の2つドレスを持っているわ。どちらがいい？
A：私は黒い服が好きだけど，両方とも着てみてもいい？
B：もちろんよ。私の家に来て，選んで。
A：素敵。どうもありがとう。いつが，都合がいい？
B：そうね…，明日の夜はどう？
A：問題ないわ。お返しに特別な夕飯を作るわ。
B：まあ，楽しみだわ。

(3) ▶ 1 借りられないわ。
2 それらを持ってきてくれる？
3 白も好きだわ。

(1) 1 **(2)** 3 **(3)** 4 **(4)** 2

解説

(1) A：こんにちは，ジョーンズ先生。お時間ありますか。
B：やあ，リック。どうしたんだい？　何だか疲れてるようだね。
A：ええ，科学のレポートに問題があって。できればヒントをいくつかいただけないでしょうか。
B：もちろんいいよ。途中のレポートを見せて。
▶ 2 先生のアドバイスに驚いています。
3 私はこのレポートは2年前に書かれたと思います。
4 私のレポートを書いてくれませんか。
先生はSure.と答えているので，何か頼みごとをしたと考える。4はCan you ～?の文なので依頼だが，先生に自分のレポートを書くよう頼むはずがないので×。よって，正解は1。I was wondering if you could ～で「できれば～していただけないでしょうか」という表現。if以下を仮定法の形にすることで婉曲的な表現になる。頼みにくいことを頼むときなどに用いる。

(2) A：やあ，アリー。何をしているの？
B：ああ，ジェラルド。古い資材を箱にしまっているの。申し訳ないけどあの箱を倉庫に運んでもらえないかしら。
A：いいよ。あれだよね？

空所の前にbutがあるので，その前と相反する内容がくることがわかる。また，この発言のあとの返事がOf course.なので，何か依頼をしたことがうかがえる。よって4が正解。2も依頼する文だが，内容がそのあとの発言とそぐわない。

(4) ▶ 1 パーティーはいつなの？　3 どちらを私に貸してくれるの？　4 夕飯には何が食べたい？
空所のあとで，「明日の夜はどう？」と言っているので，日程に関する発言であることがわかる。1も日程に関する質問だが，パーティーは来週だと言っている。よって2が正解。convenientは「便利な，都合がよい」という意味。

PART 25

会話表現②

レストラン・買い物

学習日 /

★理解度
□カンペキ！
□もう一度
□まだまだ…

会話問題・リスニングなどで，レストランやお店での会話が出題されます。

レストランでの注文

ウェイター	客
May I (**help**) you? 何かご注文は？	Can I see the (**menu**), please? メニューを見せていただけますか。
Are you ready to (**order**)? ご注文はお決まりですか。	It looks good. おいしそうですね。
Would you like something to drink? 何かお飲み物はいかがですか。	I'd like some sandwiches. サンドイッチにします。
How would you like your steak? ステーキの焼き加減はどうなさいますか。	No, thank you. I'm full. 結構です。おなかがいっぱいです。
Here you are. はい，どうぞ。	Can I have some more water? もう少しお水をいただけますか。

お店での買い物

店員	客
(**Welcome**) to ABC Market. May I help you? ABCマーケットへようこそ。何かお探しですか。	I'm looking for a present. プレゼントを探しています。
I'll show you the way. こちらへどうぞ。	I want to buy some fruits. いくつか果物を買いたいのです。
It's on the sixth floor. 6階にございます。	I'm just looking, thanks. 見ているだけです，ありがとう。
How about this one? これはいかがですか。	May I (**try**) this on? 試着できますか。
These are on (**sale**). こちらはセール中です。	How (**much**) is this watch? この時計はおいくらですか。

46

空所のあとにrefund「払い戻し，返金」とあるので，客はシャツの交換ではなく払い戻しを求めたことがわかる。よって **1** が正解。

(3)・(4)

A：何かお探しならお手伝いしましょうか。

B：はい，海外旅行のためのスーツケースを探しています。おすすめはありますか。

A：そうですね，これは女性に人気があります。軽くて丈夫でカーボンファイバーでできています。ぜひ持ってみてください。

B：まあ，とても軽いですね！ いいのですが，私の旅行には少し小さいようです。

A：わかりました。このスーツケースのシリーズには大きなサイズもございます。どうぞ。このサイズではどうですか。

B：いいですね。何色がありますか？

A：黒，深紅，青と黄色がございますが，シルバーは現在，在庫がございません。

B：わかりました。それでは深紅をいただきます。

(3)
▶ **1** お願いがあるのですが。

3 それをすすめるのはなぜですか。

4 それは私に合うと思いますか。

空所のあとの文で商品の説明をしているので，おすす

---

(1) 2 **(2)** 1 **(3)** 2 **(4)** 4

解説

(1) A：ビストロJOへようこそ。ご注文を承ります。

B：サーロインステーキのマッシュドポテト添えをお願いします。

A：ステーキの焼き加減はどうしましょうか。

B：ミディアムでお願いします。

▶ **1** ステーキはどうでしたでしょうか。

3 サーロインステーキはいかがですか。

4 このステーキはとても人気があります。

空所のあとの文でmediumと答えているので，ステーキの焼き加減を尋ねられていることがわかる。

(2) A：こんにちは，昨日このシャツを買ったのですが，背中の部分にシミがありました。

B：ああ，大変申し訳ございません。レシートを見せてくださいますか。

A：はい，ここにあります。このシャツを返したいのですが。

B：わかりました。返金手続きをしますので，しばらくお待ちください。

▶ **2** スカートに交換することはできますか。

3 いくらかかりますか。

4 私はこのことにとても怒っています。

め商品を尋ねたと考えるのが自然。よって **2** が正解。

(4) ▶ **1** デザインが私の好みではありません。

2 私には値段が高いです。

3 この色は好きではありません。

空所のあとの文で，より大きなスーツケースを見せているので，最初にすすめたものは小さかったことがわかる。よって **4** が正解。

PART 26

会話表現③
旅行・道案内

学習日 ／

★理解度
□カンペキ!
□もう一度
□まだまだ…

旅行先での交通手段，時間，道順などを尋ねる表現が多く出題されます。

声をかける

Excuse me. すみません。
I'm a stranger in this town. この町の者ではないのです。

I'll show you the way.
私が行き方を教えましょう。

目的地の場所や行き方を尋ねる

Where is the Smith's hospital? スミス病院はどこですか。	Do you know where the station is? 駅はどこかご存じですか。
Where is the (**nearest**) station? 一番近い駅はどこですか。	Is there a (　**park**　) around here? 近くに公園はありますか。
Which (　**bus**　) goes to the zoo? どちらのバスが動物園に行きますか。	Could you tell me how to get to the library? 図書館に行く方法を教えていただけますか。
Do you (　**know**　) the way to the city hall? 市役所への行き方を知っていますか。	Could you tell me the way to the post office? 郵便局に行く方法を教えていただけますか。

道案内をする

It (　**takes**　) about ten minutes. 10分くらいかかります。	Go down this street. この道を進んでください。
You'll get there in five minutes. 5分で着きますよ。	Keep going straight for ten minutes. そのまま10分まっすぐ進んでください。
Take the (**subway**) at Shibuya Station. 渋谷駅で地下鉄に乗ってください。	You'll (　**see**　) it on your right. あなたの右手にそれは見えるでしょう。
Turn (　**left**　) at the next corner and you'll find it. 次の角を左に曲がるとそれは見つかるでしょう。	The bus will leave for Atami at 10:30. そのバスは10時半に熱海に出発します。

はここの近くなので，空席があるかどうか調べてみてはどうでしょうか。

▶ **1** シアトルへの列車の切符は4ドルです。

3 今日はもうシアトル行きのバスはありません。

4 シアトルへの路線バスはもうご利用になれません。

空所のあとの応答から，客にとって不都合な内容とわかる。**1** はシアトルの切符の値段を言っているが前後の内容に合わないので×。**3** はバスがないと言っているが，後半で夜行バスの案内をしているので×。**4** はそのあとの会話から，シアトル行きのバスはまだあることがわかる。よって **2** が正解。have left は「出発してしまった」という意味の現在完了形。

(3)・(4)

A：こんにちは，チェックインをお願いします。

B：かしこまりました。予約証書とパスポートを見せていただけますか。

A：これです。部屋にはバスタブがありますか。

B：あいにく，この部屋にはバスタブはございません。

A：バスタブ付きの別の部屋は空いていますか。

B：確認いたします。一部屋空室がございますが，ダブルルームです。

A：その部屋を使うことはできますか。

B：もちろんです，ただし30ドルの差額をお支払いいただ

練習問題

(1) 1　(2) 2　(3) 3　(4) 1

解説

(1) A：すみません。バーバラレコードという名前のレコード店を知っていますか。

B：ええ，知っています。この道沿いの左手に見つけられますよ。その店は薬局の隣ですが，残念ながらその店は今日開いていません。

A：本当？　なぜですか。

B：ビルの改修がまだ終わっていないのです。

▶ **2** ここから約5分です。

3 すみませんが，その店は知りません。

4 私はそこへ1度も行ったことがありません。

空所のあとの応答から，想定外の内容があったと考えられる。よって，**2** は×。店の場所を案内しているので **3** も間違い。**4** もそのあとの文脈と合わない。よって **1** が正解。I'm afraid ～で「残念ながら～」という表現。

(2) A：こんにちは。シアトル行きの切符をお願いします。

B：お客様，申し訳ございません。シアトル行きの最終列車はもう出てしまいました。

A：なんてことだ。明日の朝までにそこへ行かなければならないのに…。

B：シアトル行きの夜行バスがあると思います。バス乗り場

く必要がございます。

(3) ▶ **1** 公共のシャワー施設を使ってもいいですか。

2 私の部屋にバスタブを入れてもらえますか。

4 どのように支払えばよいですか。

空所の前の文でバスタブがない部屋とあり，あとの文で他の部屋の案内をしているので，バスタブのある部屋への変更を依頼していると考えられる。よって，**3** が正解。

(4) ▶ **2** バスタブがない部屋を使います。

3 だれがバスタブ付きのこの部屋を使っていますか。

4 この部屋をシングルルームの料金で使うことはできますか。

空所に続く文で，差額を払えば使用可能と答えているので，空所の前に出てきた「バスタブ付きのダブルルーム」が使えるか尋ねる文が入る。**4** もその部屋を使えるか尋ねているが，「シングルルームの料金で」と言っているので間違い。

PART 27　会話表現④
電話での会話

学習日　　／

★理解度
□カンペキ！
□もう一度
□まだまだ…

準2級でも，会話問題やリスニングなどで，電話での会話が出題されます。相手を呼び出す，折り返し電話をかける，伝言を残すなどのさまざまな状況の会話を覚えましょう。

電話での会話のフローチャート

電話をかける

Hello, this is Mike calling.
もしもし，こちらはマイクです。
↓
May I (speak) to Ms. Green, please?
グリーンさんとお話ができますか。

電話を受ける

Hi, Mike. What's up?
もしもし，マイク，どうしたの？

→ Speaking.　私ですが。

→ Sorry, you have the (wrong) number.
失礼ですが，番号をお間違えです。

→ Sure, hold on, please.
もちろんです。お待ちください。

→ I'm afraid she is out now.
残念ながら彼女は今外出中です。

→ May I take a message?
メッセージをお伝えしましょうか。

→ That's okay. I'll call back (later).
結構です。後でまた電話します。

→ Sure. Could you tell her to call me back?
はい。折り返しお電話くださるように伝えてもらえますか。

→ Could you tell me your phone (number)?
電話番号を教えていただけますか。

→ Of course. My number is XXX-XXXX.
もちろん。私の番号はXXX-XXXXです。

→ Thanks for calling.
お電話ありがとうございました。

50

うに言われたんだ。すぐにやらなければならなくて。

A：問題ないわ，デビッド。ちょうど同僚へのプレゼントを買いたかったから，サリーズ・モールに行っているわ。仕事のあと，モールまで来てくれる？

B：もちろん。それじゃ，入口で6時に会おうか？

▶ **1** ひどい渋滞にはまってしまったんだ。
　2 会社を出るとき，雨が降り出したんだ。
　4 家を出ようとしたとき，上司から電話があったんだ。
　恋人同士の電話での会話。空所の前で「デートに遅れる」，あとで「すぐにやらなければならない」とあるので，その間をつなぐ文章を選ぶ。**2**は雨の話なので関係ない。**4**は「家を出ようとしたら」というのが間違い。よって，**3**が正解。

(3)・(4)

A：もしもし，聖アンドリューズ学校です。

B：こんにちは。私はクリストファー・ムーアの母親です。クリスは熱があって，今日彼は学校をお休みします。

A：わかりました。ええと，本日数学の試験があることをご存じですか。それでは，彼は追加試験を受ける必要があるでしょう。

B：はい，彼がそう言ってました。彼は次の木曜に試験を受けることができますか。

A：確認しますね…，はい，追加試験は次の木曜の午

練習問題

(1) 3　**(2)** 3　**(3)** 2　**(4)** 1

解説

(1) A：キープフィットスポーツクラブです。ご用件は何でしょうか。

B：こんにちは。ダンスレッスンについて教えてください。今週，初心者向けのダンスクラスはいつありますか。

A：初心者向けには2つのクラスをご用意しておりまして，一つはジャズで水曜の13時から，もう一つは土曜18時からのヒップホップです。これらのクラスはとても人気がございますので，早く予約なさることをお勧めします。

B：わかりました。今，ヒップホップクラスを予約できますか。

▶ **1** 両方のクラスとも予約でいっぱいです。
　2 これらのクラスはとるべきではありません。
　4 音楽の生演奏を楽しむことができます。
　空所の前にsoがあるので，その前の文「人気がある」が理由になる文を選ぶ。**1**は，空所のあとの文でヒップホップクラスの予約を依頼していることから予約でいっぱいではないことがわかる。よって，**3**が正解。

(2) A：こんにちは。ニコルです。

B：やあ，ニコル。デビッドだよ。申し訳ないけどデートに遅れそうなんだ。客の一人から，卸売業者に連絡するよ

前中です。

B：わかりました。彼にそれを伝えます。

A：すぐ良くなるといいですね。

B：ありがとうございます。2, 3日中には学校に戻れると思います。

(3) ▶ **1** 今日彼は校長に会う予定です。
　3 今日彼は休まないでしょう。
　4 今日彼は数学の試験を受ける予定です。
　空所の前の「熱がある」が理由になる文を選ぶ。

(4) ▶ **2** 彼は試験を受けないと思います。
　3 テストを終えるのにどれくらいかかりますか。
　4 彼は試験を受けなければなりませんか。

12

長文の語句空所補充

準2級で出題される「長文の語句空所補充」（大問3）は150語程度の文章を使った問題です。

空所の前後に着目して，長文を読んでみよう

Cheering Up Her Town

Amanda woke up one morning feeling sad. She (**1**), but she was sad. As she was making her morning cup of coffee, she realized that a lot of people looked sad. Just then she looked out the window and saw a neighbor walking her dog. Both the dog and its owner looked unhappy. "What makes me happy?" Amanda wondered. To help her think, she started to listen to music, and soon she found that she was moving to a cheerful song. And she was smiling.

"This is the answer. I just invented this dance, and it's making me feel happy. Maybe I can share my happiness." So, Amanda (**2**) and sent it to her friends so they could watch it. She danced on her front porch. She danced at school. She danced at the grocery store. Soon other people were doing her dance and smiling. One person made hundreds of others feel happy.

接続詞やつなぎ言葉に注目しよう

具体例	for example	例えば	for instance	例えば
原因, 結果	therefore	したがって	as a result	その結果
言い換え	in other words	言い換えれば	that is	すなわち
付け足し	moreover	さらに	in addition	さらに
補足, 強調	actually	実際には	in fact	実際
逆説	however	しかしながら	in spite of that	それにも関わらず
対比	on the other hand	もう一方では		
話題を変える	by the way	ところで	now	さて

設問1

彼女は（ **1** ）が，彼女は悲しかったです。

選択肢

1 wanted to get dressed
　服を着たかった

2 had no reason
　（ 理由 ）はありませんでした

3 didn't have breakfast
　朝食を食べていませんでした

4 couldn't sleep well
　よく眠れませんでした

解答（ **2** ）

⚠ **注意！**
あてはまる日本語訳を
考えて（ ）に
入れよう

💡 **覚えよう**
（1）に入るものを
選択肢から選びます

設問2

それで，アマンダは（ **2** ），そしてそれを彼女の友達が見られるように送りました。

選択肢

1 made extra coffee
　（ コーヒー ）のおかわりを作り

2 offered to walk the dog
　犬を（ 散歩 ）させると申し出て

3 solved another problem
　もう一つの問題を解いて

4 made a video of herself dancing
　自分自身が踊っている（ ビデオ ）を作り

解答（ **4** ）

日本語訳

彼女の町を元気づける

アマンダはある朝，悲しい気持ちで目を覚ましました。彼女は，理由はありませんでしたが，彼女は悲しかったです。彼女が朝のコーヒーを作っていると，多くの人が悲しそうに見えました。彼女が窓の外をちょうど見たとき，近所の人が犬を散歩しているのが見えました。犬も飼い主も不幸そうに見えました。「何が私を幸せにするのだろう？」とアマンダは思いました。考えをひろげるため，彼女は音楽を聴き始めるとすぐに彼女は自分が明るい曲で体を動かしていることに気づきました。彼女は笑顔になりました。

「これが答えだわ。私はこのダンスを生み出したところで，これが私を幸せな気分にさせているの。たぶん，私は私の幸せを共有することができるわ」。それで，アマンダは自分自身が踊っているビデオを作り，そしてそれを彼女の友達が見られるように送りました。彼女は玄関先で踊りました。彼女は学校で踊りました。彼女は食料品店で踊りました。すぐに他の人々が彼女のダンスを踊り，笑顔になりました。1人が何百もの人に幸せを感じさせたのでした。

練 習 問 題

(1) 1 (2) 2

解 説

日本語訳

長く待ち焦がれた日本への旅行

ライアンが4歳で，彼の母親が松尾芭蕉の『奥の細道』の英語版を読み聞かせをしたときに彼は日本に恋に落ちました。14歳のとき，彼は日本語を学び始めました。「僕が18歳になったら日本に家族旅行へ行ける？」と，彼は両親に尋ねました。

ライアンは旅行の計画に4年を費やしました。彼は箸の使い方を練習しました。彼は旅館とその宿泊客に求められるふるまい方を調べました。彼は多くを学びました。JRは外国人観光客向けにどの電車にも安く乗車可能な乗車券を売っています。いくつかの日本の航空会社は外国人観光客に通常料金よりも20％オフで日本中の航空便を提供しています。彼は両親に驚くべき日本のトイレと日本のタクシーは自動ドアだということを伝えました。ライアンはどこへ行くか，何を見るかを決めました。彼と彼の両親はパスポートをとりました。ついにその大切な日がやってきました。ライアンの芭蕉の地を訪れるという夢が叶おうとしています。

(1) ▶ **1** 彼に読んだ
    2 恋しくなった
    3 彼女の友達にあげた
    4 彼に売るように言った
文脈から判断する。when he was 4とあるので，ライアンが4歳のときに彼の母親がしたこととしてふさわしいものを選ぶ。

(2) ▶ **1** それらをどのように売るか
    2 彼らがどこへ行くか
    3 いつそれらを開けるべきか
    4 何を言うか
適する間接疑問を選びます。空所のあとでand what they would seeと言っていることに注目する。

PART 29 **長文A**
メール
学習日
★理解度
□カンペキ！
□もう一度
□まだまだ…

長文（大問4）を勉強していきます。[4A] は「メール」です。メール本文は200語程度で，その内容に関する3つの質問の答えを選ぶ問題です。

💡 **覚えよう**

Subject（件名）は，メール文を読むヒントになります。

先に質問を読む　いきなり長文を読み始めるのではなく，まずは質問を読み長文の内容をつかみましょう。

設問1 Why is Abigail writing to Yumiko?
アビゲイルは（　なぜ　）ユミコに（メールを）（　書いて　）いますか。

選択肢
1 She is her good friend.　彼女は彼女の良い友人だから。
2 She met her in Japan.　彼女は日本で彼女に会ったから。
3 She needs her support.　彼女は彼女のサポートが必要だから。
4 She gives some advice.　彼女はいくつかの助言がしたいから。
解答（　**3**　）

設問2 What is Abigail working on?
アビゲイルは（　何　）に取り組んでいますか。

選択肢
1 She is trying to make new friends.　彼女は新しい友人を作ろうとしている。
2 She is preparing to move to Cedarburg.　彼女はシーダーバーグに引っ越す準備をしている。
3 She is learning to use a meeting program.　彼女は会議用のソフトの使い方を学んでいる。
4 She is preparing to speak to her class.　彼女はクラスで話す準備をしている。
解答（　**4**　）

設問3 What help is Abigail asking for?
アビゲイルはどのような（　助け　）を求めていますか。

選択肢
1 Finding countries with many old people.　老人が多い国を見つけること。
2 Helping with interviewing a Japanese person.　日本人にインタビューすることを手伝うこと。
3 What to ask her great grandmother.　彼女の曽祖母に何を尋ねるか。
4 Advice on visiting Okinawa.　沖縄訪問に関するアドバイス。
解答（　**2**　）

56

日本語訳

差出人：アビゲイル・ジョンソン　<abg-json@housemail.com>
宛　先：タナカ　ユミコ：<yu-tanaka@readmail.co.jp>
日　時：9月15日
件　名：手伝ってもらえますか。

親愛なるユミコ
お元気ですか。私とあなたの友人のキャサリン・テイラーが，私にあなたの名前とメールアドレスを教えてくれました。最近私はシーダーバーグに引っ越し，キャサリンと同じ学校に通っています。彼女はとても素敵です！　彼女は最初の日に私を温かく迎えてくれました。それ以来，私たちは良い友だちです。彼女はいつも，あなたのこととあなたが彼女の家に訪れたことについて話します。
9月30日にクラスでプレゼンテーションを行いますが，私のテーマは「100歳を過ぎて生きる人」です。私は曽祖母が102歳なので，私はこのテーマを選びました。私はすでに，彼女の人生と彼女が長生きするのに助けになったことについて彼女にインタビューしました。両親の友人の助けを借りて，ジョージア共和国の101歳の男性にもインタビューしました。彼はまだ牛の世話をし，私のために歌を歌ってくれさえしました。沖縄には世界のどこよりも100歳以上の方が多いので，誰かを見つけてインタビューするの

をあなたが助けてくれないかと思っています。あなたのコンピュータに会議用のソフトは入っていますか。もしよろしければ，それぞれの質問と回答を翻訳して，私を助けてもらえませんか。どうもありがとうございます。
それでは，ごきげんよう。
アビゲイル

14

(1) 4　(2) 3　(3) 1

解 説

日本語訳

```
差出人：リンゼイ・トンプソン<l.thompson@
hfhvolunteers.com>
宛　先：ヤマシタ・スミアキ<s.yamashita@
tohokufoods.com>
日　付：6月14日
件　名：多大なご支援をありがとうございました

親愛なるヤマシタさま
　私は，インドネシアのスマトラのタケンゴンにあるHFHボラ
ンティアです。ご支援への感謝を表すため，このメールを
書いています。私たち市民全員と私は，貴社とその地域の
ほかの6つの会社が，学校の子どもたちに食料支援の魚
缶を送ってくださったことにお礼申し上げます。すべての缶
詰は地域の小学校と中学校に通う子どもたちに分けられま
した。彼らは栄養価の高い食料を受け取れることだけでは
なく，日本食を試食できることに興奮していました。
　私たちは，あなた方の会社が10年前地震と津波によって
大きな被害を受けた日本の地域にあることを知っています。
私たちの町も2004年に地震と津波に遭ったインドネシア
の地域にあります。2つの地域の人々が共通の経験を持っ
ています。そして，それがあなた方をどこか近い存在のよう
に感じさせてくれます。
　私はこのEメールに添付して子どもたちの写真を何枚かお
送りします。もしよろしければ，その他の従業員や他のすべ
ての会社の方々とこれらを共有してください。そして，彼ら
がいかにすばらしく，私たちはまた近くあなた方とともに働く
のを楽しみにしていることをお伝えください。
敬具
リンゼイ・トンプソン
```

(1) リンゼイ・トンプソンはなぜヤマシタ氏にメールを書きましたか。

▸ **1** 彼女は子どもたちへの魚を頼んでいる。
　2 彼女は地震を心配している。
　3 彼女は彼に彼女のボランティア団体を支援してほしい。
　4 彼女は日本の会社に感謝をしている。
　メール本文の2文目，to express以下が，その理由。

(2) ヤマシタスミアキ氏とはだれですか。

▸ **1** 日本で子どもたちを教えている人物
　2 日本政府の役人
　3 日本の会社のメンバー
　4 ボランティアとして働く人物
　your company and the six other companies in your region に注目。さらにそのあとで，これらの会社が日本にあることも書かれている。

(3) リンゼイがヤマシタ氏に頼んだのは

▸ **1** 従業員と写真を共有すること。
　2 会社の従業員の写真を送ること。
　3 インドネシアの学校の子どもたちの写真を撮ること。
　4 2004年の津波について従業員に話すこと。
　第3段落2文目に注目。share ～ with ... は「～を…と共有する」という意味。

長文（大問4）の［4B］は「説明文」です。説明文は300語程度で，その内容に関する4つの質問の答えを選ぶ問題です。

先に質問を読む まずは質問を読み長文の内容をつかみます。

⚠️ **注意！**
少し長い文章ですが，段落ごとに内容をつかんでいきましょう

設問1 The Peace Corps was founded
平和部隊が設立されたのは
アメリカの大学生に仕事を提供するために。

選択肢
1　in order to provide jobs for American university students. 他の国がアメリカの大統領に従ったあとにっ
2　after other countries followed an American president.
3　a few years before JOCV was born. JOCVが生まれる数年前に
4　after John F. Kennedy died. ジョン.F.ケネディが亡くなったあとに。

解答（　3　）

設問2 What are the Peace Corps volunteers expected to do?
平和部隊の（ボランティア）は何を（期待）されていますか。

選択肢
1　They build their own houses in other countries. 彼らは他の国々に自分の家を建てる。
2　They work together with local people. 地元の人たちと一緒に働く。
3　They raise money by working hard. 彼らは一生懸命働くことによってお金を稼ぐ。
4　They meet their goals within one year. 彼らは1年以内に目標を達成する。

解答（　2　）

設問3 An applicant for JOCV
JOCVの（志願者）は。

選択肢
1　must be under 45 years old. 45歳未満でなければならない。
2　must have graduated from university. 大学を卒業している必要がある。
3　must have experience in the field in which they will work. 彼らが働く分野での経験を持っている必要がある。
4　cannot be in poor health or unwilling to work. 健康状態が悪かったり，やる気がなかったりしてはならない。

解答（　1　）

設問4 What is one criticism of organizations like JOCV?
JOCVのような組織に対する（批判）のひとつには何がありますか。

選択肢
1　They cost too much money. 彼らにはあまりにも多くのお金がかかる。
2　They don't achieve their goals well enough. 彼らは目標を十分に達成していない。
3　They don't care for volunteers well enough. ボランティアを十分に気遣えていない。
4　They don't support each other. 彼らはお互いを支え合わない。

解答（　3　）

多くの共通点がありますが，平和部隊とJOCVの間にはいくつかの違いがあります。例えば，あらゆる年齢層の人々が平和部隊のボランティアをすることができ，実際そうしています。多くは大学を卒業したばかりの20代前半で，その他は自分のキャリアをすでに達成して50代や60代でボランティアをする人で，最年長のボランティアは80代でした。一方，JOCVの年齢制限は45歳で，つい最近まではもっと低いものでした。

彼らの人気と成功にもかかわらず，JOCVや平和部隊のようなプログラムには，批判する人がいないわけではありません。ボランティアの健康と安全が十分に守られていないと言う人もいます。そのお金を母国で使ったほうがいいと言う人もいます。それにもかかわらず，これらのプログラムは生活の質を向上させるのに役立ち続けており，彼らが生み出す親善は，より多くの記念日のお祝いにつながることになるでしょう。

日本語訳

平和部隊が60周年を祝う

アメリカの大統領が話した最も有名なある言葉は，「あなたの国があなたのために何ができるかを問うのではなく，あなたがあなたの国のために何をできるかを問いなさい」です。60年前の1961年，ジョン.F.ケネディはアメリカ人を鼓舞するために，これらの言葉を使いました。まもなく，ボランティア組織である平和部隊が設立されました。まもなく他の国々も，日本の青年海外協力隊（JOCV）のように，同様の組織を立ち上げました。これらの組織は，目標を達成するために協力し，お互いをサポートしています。

平和部隊のボランティアは世界の様々な地域に送られ，2，3年そこで務めます。彼らは迅速に対処しなければならない問題を解決するために，各自の場所で人々と協力しています。彼らは地元の人々と一緒に暮らし，彼らと同じように食べたり働いたりします。ボランティアはいつも指導者ではなく，地元の人々のパートナーとして働きます。1961年以来，240,000人以上のアメリカ人が，農業，林業，教育，衛生，その他100の技術分野で，140以上の国で働いてきました。わずか数年後に生まれたJOCVは，日本の人口ははるかに少ないにもかかわらず，80か国以上に30,000人以上のボランティアを派遣しました。

練習問題

(1) 4　(2) 4　(3) 2　(4) 3

解説

日本語訳

西表石垣国立公園

日本最南の国立公園は,2つの島ほぼ全体に広がる亜熱帯の不思議な国です。西表石垣国立公園には，美しい森，山，マングローブの沼地，ビーチ，サンゴ礁といった自然があふれています。そこは，イリオモテヤマネコのような希少種を含む様々な動物たちの生息地でもあります。見ることがないものは，車です。

西表島は東京から遠く，台湾の方が近い場所にあります。そこに行くためには，私たちはまず石垣島へ飛ぶ必要があります。それから空港シャトルサービスが30分ほどでフェリー乗り場へ連れて行ってくれます。3つの会社が，西表島の2つの港それぞれに行く船を毎時間出しています。しかしながら，船は悪天候時には航行しません。

毎年，島には15万人が訪れるにもかかわらず，西表の人口は約2,300人です。観光客が増加しそうな一方で，最優先事項はイリオモテヤマネコの再生計画と保護に成功することです。その野生のネコは絶滅の危機に瀕してお

り，残りわずか100匹です。特に日中は，野生のそれを見ることはないでしょう。それらについて知りたければ，西表野生生物保護センターを訪れましょう。

　島を横断する20キロのハイキングコースがあります。川下りを楽しむこともできます。どちらも，ガイドと一緒に島を周ることお勧めします。なぜでしょう。何人かが行方不明になったので，ガイドなしの観光客は地元警察に入山届の提出が求められています。ピナイサーラの滝は有名なスポットです。シュノーケリングも人気のある活動の１つです。2018年から国立公園は，その美しい満天の星により，日本で最初の星空保護区として公式に登録されました。西表石垣国立公園への訪問を楽しんでください。

(1) 西表石垣国立公園は
▶ 1 観光客が運転する必要がある。
　 2 東京よりも人口が多い。
　 3 日本で最初の野生生物保護センターで有名だ。
　 4 東京のはるか南にある。
本文最初の文に，The national park in the very south of Japanとあり，第２段落冒頭に〜 is far from Tokyo, located closer to Taiwanともある。

(2) 現在，公園にとって最も重要なことは何ですか。
▶ 1 公園をより多くの人々が訪れる。
　 2 公園に行くのがより簡単。
　 3 公園をハイキングするのが安全。
　 4 野生動物が見守られている。
第３段落の the first priority is 以下の内容に注目。

(3) イリオモテヤマネコは
▶ 1 日中のほうがより見られる。
　 2 永久に消滅する危機にある。
　 3 数の増加に成功している。
　 4 危険な種として認識されている。
be in danger of 〜は「〜の恐れがある」という意味。

(4) 公園でのどの行動が一番危険ですか。
▶ 1 必要な装備なしのシュノーケリング。
　 2 イリオモテヤマネコを見つけようとすること。
　 3 ガイドなしにハイキングをすること。
　 4 警察への入山届の報告。
最終段落，Why?のあとの部分に注目。Since some have gone missing, 〜とあるように，行方不明になった人がいるということが書かれている。

PART 31　英作文①Eメール
形式の注意点

★理解度
□カンペキ！
□もう一度
□まだまだ…

準2級のライティング（英作文）では，「Eメール」の返信を書く問題が出題されます。

ルールを押さえよう　「Eメール」の問題では，以下のルールがあります。

・「質問を2つ」書くこと　　・「質問への答え」を書くこと
・「40～50語で」書くこと　　・相手のEメールに対応した内容であること

！注意！
内容・語彙・文法の3つの観点で採点されます。各観点4点で，12点満点です

「質問を2つ」書く　相手に質問をする際の表現を確認しておきましょう。

「何？」	What do you like about the movie? あなたはその映画の何が好きですか
	What (kind) of music do you listen to? あなたはどの種類の音楽を聞きますか
「だれ？」	(Who) is the author of that book? その本の著者はだれですか
「いつ？」	When will the band come? そのバンドはいつ来ますか
「どこ？」	(Where) did you see it? あなたはそれをどこで見ましたか
「なぜ？」	Why do you want to study art? なぜ芸術を勉強したいのですか
「どっち？」	(Which) team is your favorite? あなたはどのチームがお気に入りですか
「どのような」	How was the weather there? そちらの天気はどうでしたか
「いくつ？」	How (many) days did it (take) to finish it?
	それを終えるのに何日かかりましたか
その他	(Do) you think AI will become our teachers?
	あなたはAIが教師になると思いますか
	(Were) there any interesting artists at the art fair?
	芸術フェアに興味深いアーティストはいましたか

「質問への答え」を書く　Eメール本文でどのような質問がされているか把握して，質問に答えましょう。

To answer your question, 〜　あなたの質問に答えると，〜
As for your question, 〜 / Regarding your question, 〜　あなたの質問に関して，〜
I (don't) think that 〜. 私は〜だと思います（〜ではないと思います）
I (don't) believe that 〜. 私は〜だと思います（〜ではないと思います）
My (opinion) is that 〜. 私の意見は〜です
I'm not sure if [whether] 〜. 私は〜かどうかわかりません
I'm (afraid) that 〜. 残念ながら〜です

覚えよう
thinkよりbelieveの方が丁寧なニュアンスがあります

練習問題

次のEメールと後の問いを読んで，（　　）に入れるのに適切な語を，〈　　〉から選んで書き入れましょう。ただし文頭にくる語も小文字になっています。

Hi!
Right now, I'm looking for a part-time job for the summer. However, I don't know which job to choose. What do you think is most important when choosing a job? I want to know your opinion!
Your friend,
Theo

●あなたが書く返信メールの中で，TheoのEメール文中の下線部について，あなたがより理解を深めるために，下線部の特徴を問う具体的な質問を2つしなさい。

「質問」を書く　ここでは a part-time job（アルバイト）について質問しましょう。

・(Have) you ever (had) a part-time job (before)? If so, (what) did you do?
〈 before　had　what　have 〉

・(Do)(you)(have) a favorite shop? If so, do you know (if) they are (hiring) new staff?
〈 have　do　hiring　you　if 〉

・Do you (want) to (work)(inside) or outside? Also, do you (want) to (work)(every)(day)?
〈 day　inside　every　work　work　want　want 〉

●Theoの質問（本文の黄色部分）にわかりやすく答える返信メールを書きなさい。

「質問への答え」を書く　質問は「仕事を選ぶときに一番大切なことは何だと思いますか」です。

・To (answer) your (question), I (think) fun is most important.
〈 question　think　answer 〉

・As (for) your question, I (believe)(money) is most important.
〈 money　believe　for 〉

・(Regarding) your question, my (opinion) is (location) is what (matters) most.
〈 location　matters　regarding　opinion 〉

17

Eメール訳

こんにちは！

ちょうど今，私は夏季のアルバイトを探しています。でも，私はどの仕事を選んでよいかわかりません。仕事を選ぶときに一番大切なことは何だと思いますか。私はあなたの意見が知りたいです！

あなたの友達，テオ

日本語訳 （「質問」を書く）

・あなたはこれまでにアルバイトをしたことがありますか。もししたことがあれば，何をしましたか。

・あなたはお気に入りの店がありますか。もしあるなら，その店は新しいスタッフを雇おうとしているか知っていますか。

・あなたは室内で働きたいですか，それとも屋外で働きたいですか。それと，あなたは毎日働きたいですか。

日本語訳 （「質問への答え」を書く）

・あなたの質問に答えると，私は楽しさが一番大切だと思います。

・あなたの質問に関して，私はお金が一番大切だと思います。

・あなたの質問に関して，私の意見では場所が最も重要です。

練習問題

●あなたが書く返信メールの中で，AmaraのEメール文中の下線部について，あなたがより理解を深めるために，<u>下線部の特徴を問う具体的な質問を2つしなさい。</u>

> Hi!
>
> As you know, I went to visit my grandfather during summer vacation. Before I left, he gave me <u>an old camera</u>. He taught me how to use it, too. I had never used an old camera before. It's really interesting! The biggest difference is that you can only take 24 photos at a time. Do you think old cameras are better than digital ones? Please let me know what you think!
>
> Your friend,
> Amara

上のEメールに対する返信メールの前半を書きましょう。冒頭文と質問を2つ，それぞれ2パターンずつ書きましょう。

冒頭文 （10語程度で）

（例）Wow, I've always wanted an old camera!
わあ，私はずっと古いカメラが欲しいと思っています。

・It sounds like you are enjoying your camera. (8語)
あなたはカメラを楽しんでいるようですね。

・You're so lucky your grandfather gave you that! (8語)
おじいさんがそれをくれるなんて，あなたはとても幸運ですね！

質問を2つ （10〜15語程度）

（例）Will you bring it to school? Also, will you join the photography club?
それを学校に持ってきますか。それと，あなたは写真部に入りますか。

・Is it easy to use? Also, what did you take photos of? (12語)
それは使うのが易しいですか。それと，あなたは何の写真を撮りましたか。

・Did you take photos of people or nature? Also, are your photos in color or black and white? (18語)　あなたは人の写真を撮りましたか，それとも自然の写真を撮りましたか。それと，あなたの写真はカラーですか，白黒ですか。

PART 32

英作文②Eメール
解答の書き方〈前半〉

返信メールの前半部分の書き方の詳細を見ていきましょう。まずは，相手のEメールに応じた冒頭文を書きます。次に，下線が引かれた箇所に対して2つ質問をします。

Eメール

●あなたが書く返信メールの中で，Eメール文中の下線部について，あなたがより理解を深めるために，<u>下線部の特徴を問う具体的な質問を2つしなさい。</u>

> Hello!
>
> I have some big news! I went to a car exhibit and saw <u>a self-driving car</u>. It was my first time seeing one. I was so excited! I took some photos of it, so take a look at them ...

注：self-driving car　自動運転車

冒頭文を書く　まずは，相手のEメールに対応した冒頭文を書きましょう。

・How nice!　素敵ですね
・Good (**for**) you! 良かったですね
・I envy you! あなたがうらやましいです
・Your photos are amazing! あなたの写真は素晴らしいです
・New cars are really (**exciting**). 新しい車は本当にわくわくします
・I checked the exhibit (**on**) the (**Internet**).
展示会についてインターネットで見ました

！注意！
実際の返信メールを書くのと同様に，いきなり質問に答える文から始めない

「質問を2つ」書く　ここでは self-driving car（自動運転車）
の特徴について，2つ質問をしましょう。指示文にあるように，「あなたがより理解を深めるため」の質問をします。

・Were there any passengers in the car? 車には乗客は乗っていましたか
・(**Did**) the car drive on a public road? 車は公道を走りましたか
・Is the car for (**sale**)? 車は売られていますか
・(**What**) company designed the car? 車を設計したのはどの企業ですか
・How (**fast**) was the car driving? 車はどれくらいの速さで走っていましたか
・(**How**)(**much**) does the car (**cost**)? 車の値段はいくらですか

💡覚えよう
この2つ質問することが，前半部分の重要な解答ポイントです

66

Eメール訳（P66）

こんにちは！

大きなお知らせがあります！　車の展示会に行って自動運転車を見ました。私は初めてそれを見ました。私はとても興奮しました！　何枚か写真を撮ったので，それらを見てみてください…

Eメール訳（P67）

こんにちは！

知ってのとおり，私は夏休みに祖父を訪ねました。帰る前に，彼は私に古いカメラをくれました。彼は私にその使い方も教えてくれました。私はそれまで一度も古いカメラを使ったことがありませんでした。とても興味深いです！　一番大きな違いは一度に24枚の写真しか撮れないことです。あなたは古いカメラはデジタルカメラよりも良いと思いますか。あなたがどう思うか教えてください！

あなたの友達，アマラ

PART 33 英作文③Eメール
解答の書き方〈後半〉

学習日 ／

★理解度
□カンペキ！
□もう一度
□まだまだ…

Eメール訳

（前半部分省略）写真を撮ろうとする大勢の人がいたので，きれいな写真を撮るために車に十分近づくことができませんでした。でも，車はとてもかっこよかったです！ あなたは将来，自動運転車を所有したいですか。
また近く連絡します，リサ

「質問への答え」を書く
質問への答えを書きましょう。ここでは「あなたは将来，自動運転車を所有したいですか」という質問（本文の黄色部分）に答えます。

・To (answer) your question, I definitely want to own one in the future.
あなたの質問に答えると，私は将来まちがいなく1台所有したいです

・As for your question, I (don't) (think/believe) that I'll own a self-driving car.
あなたの質問に関して，私は自動運転車を所有しないと思います

・Actually, I'm not sure (if/whether) I'll own one. 実は，私は所有するかどうかわかりません

締めくくりの文を書く
最後に，締めくくりの文を書きましょう。

・If I have (one), I can do something else while traveling.
もし1台あれば，移動中に何か他のことができます

・It must be (exciting) to ride on a self-driving car.
自動運転車に乗るのはわくわくするにちがいありません

・I want to enjoy (driving) cars myself if I get a driver's (license).
運転免許証を取ったら，私は自分で運転するのを楽しみたいです

💡 覚えよう
語数調整をしながら文をふくらませます

68

●あなたは，外国人の知り合い（Amara）からEメールで質問を受け取りました。この質問にわかりやすく答える返信メールを英文で書きなさい。

> Hi!
> As you know, I went to visit my grandfather during summer vacation. Before I left, he gave me an old camera. He taught me how to use it, too. I had never used an old camera before. It's really interesting! The biggest difference is that you can only take 24 photos at a time. Do you think old cameras are better than digital ones? Please let me know what you think!
>
> Your friend,
> Amara

P67と同じEメールです。返信メールの後半を書きます。質問への答えと締めくくりの文を2パターンずつ書きましょう。

質問への答え （10語程度で）
（例）To answer your question, I think digital cameras are better.
あなたの質問に答えると，私はデジタルカメラの方がいいと思います。

・Regarding your question, I think they are both good. (9語)
あなたの質問に関して，私はそれらは両方ともいいと思います。

・In response to your question, I think old cameras are better. (11語)
あなたの質問に答えると，私は古いカメラの方がいいと思います。

締めくくりの文 （15〜20語程度で）
（例）We can take more photos at a time, so we don't have to worry about missing something important. 一度により多くの写真を撮ることができるので，大事なものを逃すことを心配しなくてよいです。

・Old cameras take higher quality photos, but digital cameras let us take many more photos. (15語) 古いカメラはより質の高い写真を撮れますが，デジタルカメラだとずっと多くの写真を撮れます。

・If you can only take 24 photos, you will focus more when taking them, so each photo will be special. (20語) もし24枚しか写真が撮れないなら，写真を撮るときにより集中するので，それぞれの写真が特別な物になります。

69

PART 34 英作文④Eメール
実践

学習日 ／

★理解度
□カンペキ！
□もう一度
□まだまだ…

Eメール訳

こんにちは！
サッカーチームでプレーするのをやめてから私は時間がたくさんあります。最近，スポーツから音楽に切り替えることを考えています。学校の楽団に入るか，音楽のプライベートレッスンを受けるか，オンラインで独学するかできそうですが，まずは楽器を選ばなければいけません。どの楽器の演奏を学ぶべきでしょうか。あなたはピアノを弾くと聞いたので，あなたの意見が聞きたいです。
あなたの友達，タイソン

冒頭文を書く
（例）Music is great!

・I'm happy to hear that. / That's great you're interested in music.

「質問を2つ」書く
（例）Have you ever played an instrument before? If so, which one?

・What kind of music are you interested in? Also, do you have a favorite instrument? / Can you read music? Also, have you ever thought of joining a rock band before?

「質問への答え」を書く
（例）In response to your question, I think you should learn to play the piano.

・To answer your question, I think you should learn to play the guitar. / Regarding your question, I think you should learn to play the drums.

締めくくりの文を書く
（例）It is one of the most useful instruments. At many events, they need someone who can play the piano.

・Most guitar players don't start when they are young like piano players. Also, you can bring a guitar anywhere. / It would be a good way to keep exercising after quitting sports. Plus, the drums are so cool!

70

日本語訳 （冒頭文を書く）
・音楽はすばらしいです！
・それを聞いてうれしいです。／あなたが音楽に興味があるなんてすばらしいです。

日本語訳 （「質問を2つ」書く）
・これまでに楽器を演奏したことはありますか。もしあるなら，どの楽器ですか。
・あなたは何の音楽に興味がありますか。それと，お気に入りの楽器はありますか。／あなたは楽譜は読めますか。それと，これまでにロックバンドに入ろうと思ったことはありますか。

日本語訳 （「質問への答え」を書く）
・あなたの質問に答えると，あなたはピアノの弾き方を学ぶべきだと思います。
・あなたの質問に答えると，あなたはギターの弾き方を学ぶべきだと思います。
・あなたの質問に関して，あなたはドラムの演奏の仕方を学ぶべきだと思います。

日本語訳 （締めくくりの文を書く）
・それは最も便利な楽器の1つです。多くのイベントでピアノを弾ける人が求められます。
・多くのギタリストはピアニストのように年少のときに始めません。それに，ギターはどこにでも持って行けます。／スポーツをやめた後に運動し続けるのにちょうどよいかもしれません。それに，ドラムはとてもかっこいいです！

(19)

● あなたは，外国人の知り合い（Anna）からEメールで質問を受け取りました。この質問に
わかりやすく答える返信メールを， ☐ に英文で書きなさい。

● あなたが書く返信メールの中で，AnnaのEメール文中の下線部について，あなたがより理
解を深めるために，下線部の特徴を問う具体的な質問を2つしなさい。

● あなたが書く返信メールの中で ☐ に書く英文の語数の目安は，40語～50語です。

Hi!

I have exciting news. My mom said I can choose where we go on
vacation this year! She said it can be anywhere in Japan. I think I will
choose Yakushima Island because I have always wanted to go there. The
forests on the island look magical. However, I wish I could go on vacation
overseas someday. If you could go anywhere in the world, where would
you go? I'm curious!

Your friend,
Anna

Hi, Anna!

Thank you for your e-mail.

解答例1
How exciting! Does your family go on vacation every year? If so, who
usually chooses where you go? As for your question, I would go to
Italy. I want to see the Roman Colosseum and other ancient buildings.
I think it would be amazing to see them in person. (49 words)

解答例2
I'm so excited for you. Have you been to many places in Japan already?
And what was your favorite so far? Regarding your question, I would go to
Okinawa. There are lots of beautiful beaches and fish there. And I don't
have to worry about speaking English or another foreign language. (50 words)

Best wishes,

Eメール訳

こんにちは！

わくわくする知らせがあります。今年の休暇にどこに行くか私
が選んでいいと母が言いました。彼女は日本のどこでもいいそ
うです。私は，ずっと行きたかった屋久島にしようと思います。
島の森は神秘的です。でも，いつか休暇で海外に行けたらと
思います。もし世界のどこにでも行けるなら，あなたはどこに
行きたいですか。知りたいです！

あなたの友達，アンナ

日本語訳

こんにちは，アンナ！

Eメールをありがとう。

解答例1訳

なんて楽しみなことでしょう！　あなたの家族は毎年休暇に出
かけるのですか。もしそうなら，いつもはどこに行くか誰が選
ぶのですか。あなたの質問に関して，私はイタリアに行きたい
です。ローマのコロッセオや古代の建築物が見たいです。それ
らを直接見るのはすばらしいと思います。

解答例2訳

わくわくしますね。すでに日本の各地に行ったことはあります
か。そして，これまでの中でどこがお気に入りですか。あなた
の質問に関して，私は沖縄に行きたいです。たくさんの美しい
砂浜や魚が存在します。しかも，英語や他の外国語を話さな
ければならないと心配しなくてもいいのです。

PART 35 英作文⑤ 意見論述
形式の注意点

学習日　／
★理解度
□カンペキ！
□もう一度
□まだまだ…

準2級のライティング（英作文）では，「外国人の知り合いから質問を受けた」という設定で**QUESTION**が出題されます。

ルールを押さえよう　英作文の問題では，守らないと減点になったり，採点の対象外になったりするルールがあります。

・「意見とその理由を2つ」書くこと
・「50〜60語で」書くこと
・QUESTIONに対応した内容であること

!注意！

カンマ（,）やピリオド（.）は語数には含めません

英作文の基本の構成を理解しよう　英文を作るとき，書き方のフォーマットを知っていると便利です。

賛成・反対の表明	賛成の場合 **I think that ~**（~と思います） 反対の場合 **I don't think ~**（~とは思いません）
理由①	**First, ~**（第一に，~）
理由②	**Second, ~**（第二に，~）
結論	**For these reasons, ~**（これらの理由により，~）

💡覚えよう

さまざまな表現を覚えておくと，語数の調整にも使えます

使える表現　他にも使える表現を覚えておきましょう。

I think (that) ~	～だと思います	I agree (that) ~	～ということに賛成です
I don't think (that) ~	～だと思いません	I don't agree (that) ~	～ということには賛成しません
I disagree (that) ~	～ということには反対です	My favorite ~ is ...	私の大好きな～は…です

first	第一に	first of all	まず第一に
second	第二に	also	また
for example	例えば	such as ~	～のような
in addition	さらには	moreover	そのうえ
not only that	それだけでなく	on the other hand	その一方で
in spite of that	それにもかかわらず	because of this	このため
in my opinion	私の意見では	for these reasons	これらの理由により
therefore	したがって	this is why ~	これが～の理由です

72

賛成例

(I think) students should take part in club activities at school. (I have two reasons). (First), students can make friends from different classes. Making friends is good to learn different views of things. (Second), students can learn how to act in a group. It'll be a helpful experience. (Therefore), (I think)students should take part in club activities at school.

　私は，学生は学校のクラブ活動に参加するべきだと思います。私には2つの理由があります。最初に，学生は違うクラスの友達を作ることできます。友達を作ることは物事の異なる視点を学ぶためには良いことです。二番目に，学生はグループでの行動の仕方を学ぶことができます。それは彼らが働くときに役立つ経験になることでしょう。ですから，私は学生は学校のクラブ活動に参加するべきだと思います。

反対例

　(I don't think) students should take part in club activities at school. (First of all), if they do them, they don't have enough time to study. (Also), students can belong to a more specialized club if they want. I think that's better to master something. (This is why) (I don't think) students should take part in club activities at school.

　私は，学生は学校のクラブ活動に参加するべきだとは思いません。まず，もし彼らが熱心にクラブ活動をしたら，彼らには十分に勉強する時間がなくなります。また，彼らが望むなら，より専門的なクラブに所属することができます。何かをマスターするためにはそのほうがより良いと私は考えます。これが，私が学生は学校のクラブ活動に参加するべきだと思わない理由です。

75

PART 36 英作文⑥ 意見論述
ブレインストーミング

学習日　／
★理解度
□カンペキ！
□もう一度
□まだまだ…

ライティング（英作文）の問題では，いきなり答えを書き始めるのではなく，問題を見て，答えの候補を挙げていくと書きやすくなります。

QUESTION: Do you think using smartphones is good for students?
質問：あなたはスマートフォンを使うことは学生にとっていいと思いますか。

いいと思う場合

I think using smartphones is good for students.
私はスマートフォンを使うことは学生にとっていいと思います。

その理由をいくつか挙げよう

・スマートフォンから多くを学ぶことができる
they can learn a lot from smartphones

・漢字や歴史などを調べることができる
they can look (into) *kanji*, history and others

・友達とコミュニケーションをとることができる
they can (communicate)(with) their friends

・ゲームをしたり音楽を聞いたりして楽しむことができる
they can (enjoy) playing games and listening to music on it

!注意！

理由は，全く違うことについて書きましょう。同じような内容だと減点されてしまいます

いいと思わない場合

I don't think using smartphones is good for students.
私はスマートフォンを使うことは学生にとっていいと思いません。

その理由をいくつか挙げよう

・勉強するための時間がなくなる
they won't have enough time (to) study

・SNSでトラブルに巻きこまれることがある
they may (get) into trouble on social media

・使いすぎてお金がかかることがある
they sometimes use it too much and it (costs) them a lot

・目によくない
it's not good (for) their eyes

74

QUESTION: *Which do you think is better to live in the city or the countryside?*
質問：あなたは都会と田舎のどちらに住むのがいいと思いますか。

上の質問について，好きな理由を，日本語でそれぞれ4つずつ書きましょう。できるだけ簡単な日本語で書くのがコツです。

都会に住むのがいい場合

・(例)お店がたくさんあるので便利だ。
・仕事が多いので，仕事が見つかりやすい。
・賃金が高い。
・交通網が発達している。
・最新のサービスが受けられる。

田舎に住むのがいい場合

・(例)空気がきれいで水がおいしい。
・リモートで仕事ができるので都会にいる必要がない。
・住居費などの物価が安い。
・広い家に住むことができる。
・地元でとれたおいしい食べ物を早く安く食べることができる。

上で書いた理由のうち，英語にできそうなものをそれぞれ2つずつ選び，英語で書きましょう。

都会に住むのがいい場合

・It is easy to get jobs because there are many jobs in the city.
・We can earn much money in the city than in the countryside.

田舎に住むのがいい場合

・We can live in a larger house.
・The cost of housing and other expenses is low.

21

75

PART
37 英作文⑦意見論述
和文英訳
学習日 ★理解度
□カンペキ！
□もう一度
□まだまだ…

本番の形式に近い形で練習していきましょう。

QUESTION: *Do you think it is good for students to use a tablet as textbooks?*

質問：あなたは，タブレットを（ 教科書 ）として使うことは学生にとっていいと思いますか。

上の質問について，あなたの意見とその理由2つを日本語で書きましょう。

> 私は，タブレットの教科書は学生にとって（ いいと思います ）。
> 理由は2つあります。
> 1つ目は（ 重い教科書を毎日学校に持って行く必要がないから
>   ）です。
> 2つ目は（ より多くの問題を試すことができるから
>   ）です。
> したがって，私は（ タブレットを教科書として使うことは学生にとっていい   ）と思います。

!注意！
英訳できそうな簡単な
日本語で書こう

上で書いた日本語を英訳しましょう。

> I think it is better to use a tablet as textbooks. I have two reasons. First, we don't have to bring heavy textbooks to our schools. Second, with a tablet, we'll be able to get more knowledge because we can try more problems. For these reasons, I think using a tablet as textbooks is better for students.

76

I think it is better to see movies on demand at home. I have two reasons. First, we can see movies anytime we like. We can even stop movies and look at them again when we cannot understand the stories. Second, on-demand movies are cheaper than movies at theaters. For these reasons, I think seeing movies on demand is better.

日本語訳

　私は，自宅でオンデマンドで映画を見るほうがより良いと思います。それには2つの理由があります。最初に，私たちはいつでも好きなときに映画を見ることができます。話が理解できないときは，映画を止めたり再度見たりすることさえできます。二番目に，オンデマンドの映画は映画館で見るよりも安いです。これらの理由から，オンデマンドで映画を見るほうがより良いと私は思います。

質問：あなたは，映画を映画館で見るのと，自宅でオンデマンドで見るのとでは，どちらがより良いと思いますか。

（賛成例）

　　I think it is better to see movies at theaters. I have two reasons. First, theaters have big screens, so we can feel more impact and higher presence at theaters. Second, we can see newer movies at theaters. Movies are usually distributed online after release at theaters. Therefore, I think it is better to see movies at theaters.

日本語訳

　私は，映画は映画館で見るほうがより良いと思います。それには2つの理由があります。まず，映画館には大きなスクリーンがあるので，私たちは映画館ではよりインパクトや臨場感を味わうことができます。二番目に，私たちは映画館ではより新しい映画を見ることができます。映画はたいてい映画館で封切られたあとで，オンラインで配信されます。ですから，私は映画館で映画を見るほうがいいと考えます。

（反対例）

リスニング第1部
会話の続きを選ぶ①

準2級のリスニングには，第1部・第2部・第3部があります。まずは第1部を練習していきましょう。第1部は，2人の会話を聞き，最後の応答を選ぶ問題です。問題用紙には何も印刷されていないので，選択肢も聞き取る必要があります。放送文は一度しか読まれません。

音声を聞いて，問題を解いてみよう ■解答 (2)
TR 01

読まれた英文 もう一度音声を聞き，空欄をうめましょう。

A：Do you have any plans next Saturday, Jessica?
B：Nothing in (**particular**), Keith. Why do you ask?
A：Norma and I are going bowling. (**Do**) you want to (**join**) us?

選択肢
1 Yeah. You should try it someday.
2 (**Sure**). Thank you for (**inviting**) me.
3 No problem. I'll be there (**right**) away.

⚠注意！
最後の発言を聞き漏らさないように！

💡覚えよう
第1部では「会話がスムーズに流れる」選択肢を選ぶ

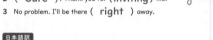

日本語訳
A：ジェシカ，今度の土曜日は何か予定がある？
B：特にないよ，キース。どうして？
A：ノーマとボウリングに行くんだ。君も一緒に行かない？

選択肢
1 ええ。あなたもいつか試してみるべきよ。
2 いいわよ。誘ってくれてありがとう。
3 大丈夫よ。今すぐにそこへ行くね。

最後の発言が疑問文の場合は，その質問に対応する応答を選びます。「一緒に行かない？」なので，「いいわよ」と答えてからお礼を述べている**2**が正解です。

78

---

3 Maybe some other day.

日本語訳 A：母さん，明日の数学の試験のことが心配なんだ。
B：なぜ？　あなたは一生懸命に勉強したじゃないの。
A：うん，でも眠くて，頭がはっきりしないんだ。
▶ 1 あなたはきっとうまくいくと思うわ。
　 2 私が代わりに行くわ。
　 3 いつか別の日にね。

(3) 放送文 A: Fred, have you finished your paper?
B: Not yet.　We're supposed to write about Japanese culture, right?
A: Yes, that's what we're supposed to do.
1 I've already finished it.
2 You shouldn't have done so.
3 I think I'll write about rakugo.
日本語訳 A：フレッド，論文は書き終えた？
B：いや，まだだよ。でも，僕たちは日本の文化について書くことになっているんだよね？
A：そうよ。それが私たちがすべきことよ。
▶ 1 僕はもうそれを終えた。
　 2 君はそうすべきではなかった。
　 3 僕は落語について書こうと思うんだ。

練習問題

(1) 2　***(2)*** 1　***(3)*** 3　***(4)*** 3　***(5)*** 2　***(6)*** 2

解説

***(1)* 放送文** A: Annie, can you show me how to make an apple pie?
B: OK, Jackie.　Shall we meet tomorrow?
A: Sure.　Where shall we make it?
1 Making pies is difficult.
2 We can use my kitchen.
3 I prefer cakes to pies.
日本語訳 A：アニー，僕にアップルパイの作り方を教えてくれない？
B：いいわよ，ジャッキー。明日会う？
A：いいよ。どこでそれをする？
▶ 1 パイ作りは難しいわ。
　 2 うちのキッチンを使っていいわよ。
　 3 私はパイよりケーキのほうが好きだわ。

***(2)* 放送文** A: I'm nervous about my math test tomorrow, Mom.
B: Why?　You've worked very hard.
A: Yes, but I'm sleepy and my head isn't clear.
1 I'm sure you'll do well.
2 I'll go instead of you.

***(4)* 放送文** A: Is this your flute, Bob?
B: Yes.　I've learned the flute from my aunt.
A: I didn't know that.　Let me hear you play.
1 Let's listen to it together.
2 Here's your ticket.
3 Sorry, I haven't mastered it.
日本語訳 A：これはあなたのフルートなの，ボブ？
B：うん。僕はおばからフルートを学んだんだ。
A：それは知らなかったわ。あなたの演奏を聞かせて。
▶ 1 いっしょにそれを聞こう。
　 2 ほら，君のチケットだよ。
　 3 ごめん，まだマスターしていないんだ。

***(5)* 放送文** A: Hello.　Middleton's Supermarket.
B: Hi.　I'd like to know your closing time.
A: During the Christmas season, we're open until 10 p.m.
1 OK.　Don't be late.
2 OK.　I'll come tonight.
3 OK.　I'll buy it tomorrow.
日本語訳 A：もしもし，ミドルトン・スーパーマーケットでございます。
B：もしもし。そちらのお店の閉店時間を知りたいのですが。
A：クリスマスシーズン中は，午後10時まで営業しております。

▶ **1** わかりました。遅れないようにね。

2 わかりました。今夜伺います。

3 わかりました。明日それを買います。

(6) 放送文 A: Hello. I need my watch repaired.

B: OK, I'll check it and fix it.

A: Thanks. Can you do it today?

1 Yes. It's available all year round.

2 Yes. It'll be done in an hour.

3 Yes. Never forget to bring it back.

日本語訳 A：こんにちは。時計の修理をお願いしたいのですが。

B：わかりました。調べて，修理しましょう。

A：ありがとうございます。今日中にできますか。

▶ **1** はい。1年中利用可能です。

2 はい。1時間で終わります。

3 はい。忘れずにそれを戻してください。

PART 39 リスニング第1部
会話の続きを選ぶ②

第1部は，2人の会話を聞き，最後の応答を選ぶ問題です。問題用紙には何も印刷されていないので，選択肢も聞き取る必要があります。放送文は一度しか読まれません。

🔊 音声を聞いて，問題を解いてみよう ▶ 解答（ **1** ）
TR 03

読まれた英文 もう一度音声を聞き，空欄をうめましょう。

A:(**Can**) I help you （ **find**) something, ma'am?

B: Yes. I'm looking for a backpack that I can use for a short trip. Can you (**recommend**) one?

A: Well, this one right here is very (**popular**). It has a lot of pockets inside it.

選択肢

1 It looks nice, (**but**) I don't like the color.

2 I'm going to stay there for a week.

3 I have already made a (**reservation**) at a hotel.

覚えよう
2人の関係を聞き取ろう

日本語訳

A：お客様，何かお探しのものがありましたら，お手伝いしましょうか。

B：はい。短期間の旅行用に使えるバックパックを探しているのです。おすすめのものはありますか。

A：そうですね，こちらのものは非常に人気がございます。中にはポケットがたくさんあります。

選択肢

1 よさそうですね。でも色が好きではないのです。

2 私はそこに1週間滞在する予定です。

3 ホテルの予約はすでに済ませました。

ma'amは，女性への丁寧な呼びかけです。会話の内容から，店員と客の関係だとわかります。店員からのおすすめを受けて，それに対する応答として自然な流れになる**1**が正解です。

練習問題

(1) 1 *(2)* 1 *(3)* 3 *(4)* 2 *(5)* 2 *(6)* 2

解説

(1) 放送文 A: Excuse me. Can I change money at this airport?

B: What kind of money, sir?

A: Japanese yen to American dollars.

1 Sure, no problem.

2 The flight has already taken off.

3 Please keep the change.

日本語訳 A：すみません。この空港で両替はできますか。

B：通貨は何でしょうか。

A：日本円をアメリカ・ドルに交換したいのです。

▶ **1** はい。まったく問題ありません。

2 その便はすでに離陸しました。

3 お釣りは取っておいてください。

(2) 放送文 A: What shall we have for dinner, Paul?

B: Well, I'm planning to cook chicken curry.

A: Great. Do you need my help?

1 Yes, wash the tomatoes and cut them.

2 Yes, you did a good job.

24

3 Yes, book the restaurant.

日本語訳　A：ポール，夕食に何を食べる？

B：そうだね，僕がチキンカレーを作るつもりだよ。

A：それはいいわね。私が手伝う必要はあるかしら？

▶ **1** うん，トマトを洗って，切ってくれるかな。

　2 うん，君はよくやったよ。

　3 うん，レストランを予約して。

(3) 放送文　A: Wow, this is a large car showroom.

B: Thank you for coming, ma'am. How can I help you?

A: Just looking today, thanks.

1 Sure. Let me know if you can come.

2 Sorry, they were sold out.

3 Fine. Feel free to look around.

日本語訳　A：まあ，この車のショールームは大きいわね。

B：お客様，ご来店ありがとうございます。ご用件を承ります。

A：今日は見るだけにしておくわ。ありがとう。

▶ **1** もちろんですとも。おいでになれるのでしたら，お知らせください。

　2 申し訳ありません。それらは売り切れです。

　3 結構です。どうぞご自由にご覧ください。

(4) 放送文　A: Hello. William Bishop speaking.

B: Hi, it's Luna. I was absent from the economics

いですか？

▶ **1** はい。当店ではオンラインのご注文も承っております。

　2 はい。当店は8時まで営業しております。

　3 はい。当店では明日それをお客様宛に配達いたします。

(6) 放送文　A: Are you still looking for part-time workers?

B: Yes, we are. Have you ever worked at a supermarket before?

A: No, but I worked at a grocery store last summer.

1 I'm sorry. It's out of stock now.

2 OK. Please fill out this application form first.

3 I see. I'll come in another time, then.

日本語訳　A：パートタイマーはまだ募集中でしょうか？

B：はい，受け付けております。あなたはこれまでにスーパーマーケットで働いたことがありますか。

A：いいえ，でも昨年の夏，食料雑貨店で働いていました。

▶ **1** 申し訳ありません。ただ今在庫を切らしております。

　2 わかりました。まずこの申し込み書にご記入をお願いします。

　3 わかりました。それではまた改めて伺います。

class today. Did you attend it?

A: Yes, but why?

1 Tell me why you didn't come today.

2 I'd like to know about the next test.

3 I found your textbook in the classroom.

日本語訳　A：もしもし。ウィリアム・ビショップでございます。

B：もしもし。ルナよ。今日経済学の授業を休んじゃったの。あなたは授業に出た？

A：うん，どうして？

▶ **1** なぜ今日来なかったのか話して。

　2 今度の試験について知りたいの。

　3 教室であなたの教科書を見つけたの。

(5) 放送文　A: Hello. Ralph Becker speaking.

B: Hello, Mr. Becker. This is NHS Bookstore. I'm calling to tell you that the book you ordered has just arrived.

A: Oh, thank you. Can I come this afternoon?

1 Yes. We're accepting orders online, too.

2 Yes. We're open until eight.

3 Yes. We'll deliver it to you tomorrow.

日本語訳　A：もしもし。ラルフ・ベッカーですが。

B：もしもし，ベッカー様。こちらはNHS書店です。お客様がご注文になられた本が入荷しましたので，お電話いたしました。

A：ああ，ありがとうございます。今日の午後に伺ってもよろし

PART
40
リスニング 第2部
会話の内容を聞き取る①

学習日
/

★理解度
□カンペキ！
□もう一度
□まだまだ…

第2部では、2人の会話と、その会話の内容についての質問が放送されます。質問に対する答えを、問題用紙に印刷されている4つの選択肢から選びます。

質問を予想しよう 放送を聞く前に、選択肢に目を通します。

1 She wants to buy a new umbrella.　2 She bought the wrong item.
3 She lost her umbrella.　　　　　　4 She needs a floor map.

考えてみよう 選択肢を見て、質問されることを予想しましょう。

選択肢1の訳は「彼女は新しい傘を買いたい」
選択肢2の訳は「彼女は（ 間違った ）商品を買った」
選択肢3の訳は「彼女は傘を（ なくした ）」
選択肢4の訳は「彼女はフロアマップが必要だ」

!注意！ 選択肢はすべて「彼女の行動」なので、「彼女」の発言に注意して聞きます

音声を聞いて、問題を解いてみよう 解答（ 3 ）
TR 05

読まれた英文 もう一度音声を聞き、空欄をうめましょう。

A: Excuse me. I think I (left) my umbrella somewhere on this floor yesterday evening.
B: We found three umbrellas left on this floor. What does yours look like, ma'am?
A: It's a (red) one with a (flower) pattern on it. It has my initials "S. H." on the (handle).
B: All right. I think this is yours. Here it is.
QUESTION: What do we learn about the woman?

日本語訳
A：すみません。昨晩、こちらのフロアのどこかに傘を忘れたと思うのですが。
B：このフロアで忘れもの傘が3本ありました。お客様の傘はどのようなものでしょうか。
A：花柄の入った赤い傘です。持ち手にイニシャルの「S.H.」が入っています。
B：わかりました。こちらがあなたのものだと思います。はい、どうぞ。
質問：女性について何がわかりますか。

覚えよう このQUESTIONはよく出ます

Aの最初の発言を聞いただけで3が正解だと予想がつきます。しかし、準2級では本文と同じ語句が使われているだけの、ひっかけ選択肢が多く出現します。最後のQUESTIONまで気を緩めずに聞き取りましょう。

82

What cute girls!
B: Hi, Raul. Yeah, they are Mrs. Wilson's daughters, Paula and Monica.
A: Mrs. Wilson? Is she a Spanish teacher at our college?
B: Yeah, exactly. Actually, she lives next to my house.
Question: What is Christy doing?

日本語訳 A：やあ、クリスティ。ああ、ベビーシッターをやっているの？　何てかわいい女の子たちなんだ！
B：こんにちは、ラウル。そうなの、彼女たちはウィルソン先生のお嬢さんたちで、ポーラとモニカよ。
A：ウィルソン先生？　大学のスペイン語の先生の？
B：ええ、その通りよ。実は、彼女は私の家の隣に住んでいるの。
質問：クリスティは何をしていますか。
▶ 1 スペイン語を勉強している。
　 2 隣人のベビーシッターをしている。
　 3 ポーラとモニカと勉強している。
　 4 大学に向かっている。

(3) 放送文 A: Did you enjoy our dishes, madam?
B: Yes. Everything was delicious. Please tell the chef.
A: Thank you very much. I'm sure he'll be happy to hear it. Would you like something for dessert?

---

(1) 3　**(2)** 2　**(3)** 4　**(4)** 2　**(5)** 4　**(6)** 2

解説

(1) 放送文 A: Excuse me. I heard Ashley Sanders was injured in a road accident.
B: Are you a family member of Ms. Sanders?
A: Yes, I'm her father. Is she all right?
B: She needs to stay here for a few days, but there is no threat to her life. Please ask the doctor about more details.
Question: What is the relationship between the two people?

日本語訳 A：すみません。アシュリー・サンダースが事故で怪我をしたと聞いたのですが。
B：サンダースさんのご家族の方ですか。
A：はい、父親です。彼女は大丈夫ですか。
B：2、3日入院が必要ですが、命に別状はありませんよ。詳しくは医師にお尋ねください。
質問：2人の間の関係は何ですか。
▶ 1 患者と看護師。
　 2 患者と医者。
　 3 患者の父親と看護師。
　 4 患者の父親と医者。

(2) 放送文 A: Hi, Christy. Oh, are you babysitting?
B: Yes, can I have a menu?
Question: What will the woman do next?

日本語訳 A：お客様、お料理を楽しまれたでしょうか。
B：ええ。すべてがとてもおいしかったです。シェフにお伝えください。
A：ありがとうございます。それを聞いて彼は喜ぶと思います。デザートを何かお持ちしますか。
B：そうですね、メニューをいただけますか。
質問：女性は次に何をするでしょうか。
▶ 1 家に帰る。
　 2 会計を済ます。
　 3 シェフに料理がとてもおいしかったと伝える。
　 4 デザートを食べる。

(4) 放送文 A: Hello, this is Jack's rental shop. Are you Mr. Ben Harris?
B: Yes, I am. Oh, I have forgotten to return a rented DVD! I'm so sorry.
A: Right, it was due three days ago. When can you return it?
B: I'll come this afternoon.
Question: What did Ben have to do?

日本語訳 A：もしもし、ジャックレンタルショップです。ベン・ハリスさんですか。
B：はい、そうです。ああ、借りたDVDを返すのを忘れてい

26

ました。申し訳ありません。

A：はい。期限は3日前でした。いつお戻しいただけますか。

B：今日の午後に伺います。

質問：ベンは何をしなければならなかったのですか。

▶ **1** 今日の午後，DVDを借りる。

　2 3日前までにDVDを返却する。

　3 3日前にレンタル店に謝る。

　4 今日の午後，DVDを見る。

(5) 放送文 A: Excuse me. I'd like to exchange some dollars to Japanese yen.

B: We can take care of it at our hotel. Today's exchange rate is 109 yen to the dollar.

A: Please exchange a hundred dollar bill. Could I have smaller bills, please?

B: Sure. Wait a moment, please.

Question: What will the guest get after this?

日本語訳 A：すみません。ドルを日本円に両替したいのですが。

B：私どものホテルで承っております。本日の交換レートは1ドル109円です。

A：100ドル札の両替をお願いします。小さいお札にしてもらえますか。

B：かしこまりました。少々お待ちください。

質問：客はこのあと何を手にしますか。

▶ **1** 千円札1枚と100円玉9枚。

PART **41** リスニング 第2部
会話の内容を聞き取る②

学習日

★理解度
□カンペキ！
□もう一度
□まだまだ…

第2部では，2人の会話と，その会話の内容についての質問が放送されます。質問に対する答えを，問題用紙に印刷されている4つの選択肢から選びます。

質問を予想しよう 放送を聞く前に，選択肢に目を通す。

1 A grocery store on Bolton Street.　2 A kind of seafood to buy.
3 A meat shop downtown.　4 A nice place to have dinner.

考えてみよう 選択肢を見て，質問されることを予想しましょう。

選択肢1の訳は「ボールトン通りの食料雑貨店」

選択肢2の訳は「買うべきシーフードの（ 種類 ）」

選択肢3の訳は「繁華街の肉屋」

選択肢4の訳は「夕食をとるのによい（ 場所 ）」

!注意！
選択肢はすべて「食べ物」に関することです

音声を聞いて，問題を解いてみよう 解答（ **4** ）

TR 07 **読まれた英文** もう一度音声を聞き，空欄をうめましょう。

A: Janet, my friend in Japan is going to visit our city next month. I'm thinking of inviting her out for dinner. Can you (**recommend**) any nice restaurants?

B: Sure. What kind of restaurant are you looking for?

A: She likes (**fish**) better than meat, and she doesn't seem to like (**spicy**) foods.

B: (**How**) about the new (**seafood**) restaurant downtown on Bolton Street? I'm sure she'll like it.

QUESTION: What is the man asking the woman about?

日本語訳

A：ジャネット，日本にいる僕の友人が来月僕たちの市を訪れる予定なんだ。彼女を外で夕食に誘おうと思っているんだけど。どこかいいレストランをおすすめしてくれないかな。

B：いいわよ。どんなレストランを探しているの？

A：彼女は肉より魚が好きで，辛い食べ物は好きじゃないみたいなんだ。

B：ボールトン通りの繁華街にある新しいシーフードレストランはどう？　彼女はきっと気に入ると思う。

質問：男性は女性に何について尋ねていますか。

---

　2 10ドル札10枚。

　3 100ドル札1枚。

　4 千円札10枚と100円玉9枚。

(6) 放送文 A: Excuse me, Officer. I found this wallet on the street.

B: Oh, thank you, madam. Could you tell me where you found it?

A: Near the bank over there. I guess someone who visited the bank dropped it.

B: Maybe. OK, could you fill out this form? We'll need to contact you later.

Question: What do we learn about the woman?

日本語訳 A：お巡りさん，すみません。道でこの財布を見つけました。

B：奥さん，ありがとうございます。どこでそれを見つけたか教えていただけますか。

A：向こうの銀行の近くです。銀行に来た方が落としたのではないかしら。

B：たぶん。わかりました，この書類に記入していただけますか。あとでご連絡が必要になるでしょう。

質問：女性についてわかることは何ですか。

▶ **1** 彼女は銀行への道を警察官に尋ねたい。

　2 彼女は銀行の近くで財布を拾った。

　3 彼女は書類を提出し忘れた。

　4 彼女は道で財布をなくした。

練習問題

(1) 2　**(2)** 3　**(3)** 4　**(4)** 1　**(5)** 2　**(6)** 3

解説

(1) 放送文 A: Have you ever been to the U.S., Meg?

B: Yes. I've been to Florida once and New York once. I visited my aunt who lives in New York.

A: Oh, great. But, how about Florida?

B: I visited there to enjoy Disneyland! I also enjoyed Universal Studios.

Question: What did Meg go to New York to do?

日本語訳 A：メグ，アメリカに行ったことはあるの？

B：ええ。フロリダに1回とニューヨークに1回行ったことがあるわ。ニューヨークに住んでいるおばを訪ねたの。

A：すごい。でもフロリダは？

B：ディズニーランドを楽しむためにそこを訪れたのよ。ユニバーサルスタジオも楽しんだわ。

質問：メグはニューヨークへ何をしに行きましたか。

▶ **1** ユニバーサルスタジオを楽しむために行った。

　2 おばを訪ねた。

　3 ディズニーランドを楽しんだ。

　4 アメリカには二度行ったことがある。

(2) 放送文 A: Jack, will you look after your sister

this afternoon? I have to go to the bank.

B: Oh, Mom. Sarah and I are going to do our homework at Sarah's house. The homework is due tomorrow. I wonder what I should do.

A: I see. Then, can you ask her to come here? I'll buy you some delicious cakes on my way back.

B: OK. I'll call Sarah.

Question: Where was Jack going to go this afternoon?

日本語訳　A：ジャック，今日の午後，妹の面倒を見てくれる？　銀行に行かなければならないの。

B：ああ，ママ。サラと僕はサラの家で宿題をする予定なんだ。宿題は明日までなんだ。どうしたらいい？

A：そうなのね。それなら，彼女にここに来てもらうよう頼める？　帰りにとてもおいしいケーキを買ってくるわ。

B：わかったよ。サラに電話するよ。

質問：ジャックは今日の午後どこに行く予定でしたか。

▶ **1** 妹の面倒を見る。　**2** 銀行へ行く。
　3 サラの家を訪ねる。　**4** サラとケーキを食べる。

(3) 放送文　A: Rob, I'm so sorry I cannot be with you today. I have to take classes today.

B: No problem, Miwa. I'll go sightseeing by myself. Are there any spots you recommend?

A: Well, I recommend the City Museum. It is exhibiting old Japanese pictures and statues now.

B: Thanks, but unfortunately I have a test today.

Question: What was Nick doing until yesterday?

日本語訳　A：ニック，今日は調子はどうなの？　とても眠そうだわ。

B：ああ，昨日日本から帰ってきて，時差ぼけに悩まされているんだ。旅行はとても興奮したけどね。

A：まあ，それで1週間あなたを見なかったのね。旅行について聞きたいけど，今日は家にいたほうがいいと思うわ。

B：ありがとう，でも不運なことに今日テストがあるんだ。

質問：ニックは昨日まで何をしていましたか。

▶ **1** 1週間海外旅行をしていた。　**2** テスト勉強をしていた。
　3 時差ぼけのため家にいた。　**4** アメリカに向かっていた。

(5) 放送文　A: Excuse me, could you tell me what today's lunch is?

B: Today's lunch is bacon lettuce and tomato sandwiches with French fries.

A: Sounds good. I'll have it.

B: Would you like something to drink?

Question: What is the waiter doing?

日本語訳　A：すみません，本日のランチは何か教えていただけますか。

B：本日のランチはベーコンレタストマトサンドイッチのフライドポテト添えです。

A：いいわね。それをいただきます。

B：何かお飲み物はいかがですか。

You study Japanese culture in America, right?

B: Yes. It sounds nice. How can I get there?

Question: What do we learn about Rob?

日本語訳　A：ロブ，申し訳ないけど今日あなたと一緒にいることができなくなったわ。今日は授業を受けなければならないの。

B：大丈夫だよ，ミワ。1人で観光するよ。どこかおすすめの場所はある？

A：そうね，市立美術館をすすめるわ。日本の古い絵画と彫像を今，展示しているの。あなたはアメリカで日本文化を学んでいるのよね？

B：そう。良さそうだね。そこへはどうやって行くの？

質問：ロブについてわかることは何ですか。

▶ **1** 今日は授業を受けなければならない。
　2 古い日本の絵画と像に詳しくない。
　3 美和が一緒にいることができなくて悲しい。
　4 アメリカから来た学生だ。

(4) 放送文　A: How are you feeling today, Nick? You look so sleepy.

B: Yeah, I came back from Japan yesterday and I'm suffering from jet lag. My trip was so exciting, however.

A: Oh, so I've not seen you for a week. I want to hear about your trip, but I think you had better stay home today.

質問：ウェイターは何をしていますか。

▶ **1** 本日のランチを注文している。
　2 注文をとっている。
　3 本日のランチをすすめている。
　4 客にメニューを渡している。

(6) 放送文　A: Are you still smoking, Henry? I thought you had already quit. Everyone knows that smoking is bad for your health.

B: I was going to, but you know, it's not so easy ….

A: Do you know Anderson Clinic near the office? I heard the Clinic helps people stop smoking. How about seeing the doctor?

B: That's a nice idea. I'll make an appointment.

Question: What does the woman suggest?

日本語訳　A：ヘンリー，まだ煙草を吸っているの？　とっくにやめたと思っていたわ。喫煙は健康に悪いってみんながわかっているのに。

B：やめようと思ったんだけど，わかるだろう，そんなに簡単じゃなくて…。

A：会社の近くのアンダーソン医院を知ってる？　禁煙外来をやってるって聞いたわ。医者に行って診てもらったらどう？

B：それはいいアイデアだ。予約をとるよ。

質問：女性は何を提案していますか。

▶ **1** 健康に良いことをする。　**2** 禁煙を手伝う。
　3 医者に診てもらう。　**4** 予約をとる。

学習日　／

★攻略度
□カンペキ！
□もう一度
□まだまだ…

第3部は，まとまった内容の英文とその内容に関する質問が放送されます。答えは，印刷されている選択肢の中から選びます。

質問を予想しよう　放送を聞く前に，選択肢に目を通します。

1　Her mother taught her how to cook.
2　She could get her money back at the bookstore.
3　Her mother lent her a magazine.
4　She didn't have to spend extra money.

考えてみよう　選択肢を見て，質問されることを予想しましょう。

選択肢1の訳は「彼女の母親が（　料理　）のしかたを教えてくれた」
選択肢2の訳は「彼女は（　書店　）で返金してもらうことができた」
選択肢3の訳は「彼女の母親が（　雑誌　）を貸した」
選択肢4の訳は「彼女は余分なお金を費やす必要がなかった」

①注意！
選択肢はすべて「彼女」の行動に関することです

音声を聞いて，問題を解いてみよう　▶解答（　4　）

R 09

読まれた英文　もう一度音声を聞き，空欄をうめましょう。

Yesterday, Yuki bought a fashion magazine at a bookstore. That evening, however, she found her mother had bought the same (　issue　) of the magazine. The next day, when Yuki told the bookstore about it, the shop (　clerk　) said that she could (exchange) it for another magazine, so she (　chose　) one about cooking. She was happy because she didn't (　waste　) her money.

QUESTION: (　Why　) was Yuki happy?

日本語訳
昨日，ユキは書店でファッション雑誌を買いました。ところが，その晩，彼女は母が同じ雑誌の同じ号を買っていたことを知りました。翌日，ユキが書店にそのことを話すと，店員は別の雑誌と交換してもよいと言ってくれたので，彼女は料理に関する雑誌を選びました。お金を無駄にしなかったので，彼女はうれしかったです。

質問：なぜユキはうれしかったのですか。

物語文では，時系列で話が進んでいく形式が多いです。yesterday, that evening, the next day などの時を表す語句で，「だれがいつ何をしたか」を整理しながら聞きましょう。

86

---

(2) **放送文** Hello, students. Nice to meet you. I'm Alan Johnson, a teacher who will teach you English this year. Before starting the first class, I want to tell you two things. First, please use only English in this class. You know, it's the way to improve your English. Second, if you have a question, please ask me. OK?

Question: Why does the teacher make this announcement?

日本語訳 みなさん，こんにちは。初めまして。私はアラン・ジョンソン，今年みなさんに英語を教える教師です。最初の授業を始める前に，2つのことを言いたいと思います。最初に，このクラスでは英語のみを使用してください。わかると思いますが，これは英語を上達させる方法です。二番目に，もし質問があれば尋ねてください。わかりましたか。

質問：なぜ教師はこの通達をしていますか。

▶ 1 自分の授業を紹介するため。
　2 生徒と友達になるため。
　3 質問をするため。
　4 日本語のみを使うため。

(3) **放送文** Liam has a routine every weekday morning. He does exercise for thirty minutes and takes a shower. He leaves home at seven thirty.

練習問題

(1) 4　(2) 1　(3) 3　(4) 4　(5) 3　(6) 2

解説

(1) **放送文** More tourists are coming to Midori-machi these days. In 2018, only about two hundred people visited Midori-machi. However, in 2019, about one thousand three hundred people came. That's because an old shrine in the town became a stage for a popular anime. It became famous as a power spot where dreams come true.

Question: Why has the number of people visiting Midori-machi increased recently?

日本語訳 最近，緑町にはより多くの観光客がやって来ます。2018年には約200人しか緑町を訪れていません。しかし2019年には，約1,300人がここに来ました。町の古い神社が人気アニメの舞台になったからです。それは夢をかなえるパワースポットとして有名になりました。

質問：最近，なぜ緑町を訪れる人の数が増えているのですか。

▶ 1 緑町は2019年に劇場を建てた。
　2 緑町は観光客向けに動画を作った。
　3 多くの人々がアニメを見に来る。
　4 人気アニメがその舞台に緑町を使った。

Before going to his office, he stops by a coffee shop and buys some sandwiches and coffee. While having sandwiches and coffee at his desk, he checks e-mails and hot news first.

Question: What does Liam do just before he arrives at his office?

日本語訳 リアムには平日の朝のルーティンがあります。30分間運動をして，シャワーを浴びます。7時30分に家を出ます。会社に行く前に，コーヒー店に立ち寄り，サンドイッチとコーヒーを買います。サンドイッチとコーヒーを自分の机でとっている間，彼はまずEメールと最新のニュースをチェックします。

Question：リアムは会社に着く直前に何をしますか。

▶ 1 運動をする。
　2 サンドイッチとコーヒーを食べる。
　3 コーヒー店に行く。
　4 Eメールと最新のニュースをチェックする。

(4) **放送文** Mezquita is a famous historical church in Spain that is a UNESCO World Heritage Site. At first, it was built as a mosque by an Islamic country in 785. But when a Catholic country conquered the land, it was changed to a church in the 13th century. Therefore, Mezquita is a rare building having both Islamic and Catholic styles.

Question: What is one thing we learn about Mezquita?

日本語訳　メスキータはスペインにある歴史的に有名な教会で，ユネスコの世界遺産です。最初は，785年にイスラム教国によってモスクとして建てられました。しかしカトリック教国がその地を征服したとき，13世紀に教会へと変えられました。それゆえ，メスキータはイスラム様式とカトリック様式の両方を持った稀な建物になっています。

質問：メスキータについてわかることは何ですか。

▶ 1 初めは教会として建てられた。

　2 ムスリム（イスラム教徒）が7世紀以前に建てた。

　3 カトリックが13世紀に破壊した。

　4 イスラム様式とカトリック様式の両方を持つ。

(5) 放送文 Liz likes making accessories very much. She will make pierced earrings for her mother's birthday present. She went to an accessory shop to get parts for the earrings. She found beautiful stones, but she couldn't buy them because they were expensive. Now she is planning on selling accessories she made on the internet to get the stones.

Question: Why is Liz going to sell her accessories?

日本語訳　リズはアクセサリーを作るのがとても好きです。彼女は母親の誕生日プレゼントにピアスを作るつもりです。彼女はピアスのパーツを手に入れるためにアクセサリー店に行きました。彼女は美しい石を見つけましたが，それらは高くて買うことができませんでした。今彼女は，その石を手に入れるために，自分が作ったアクセサリーをインターネットで売ることを計画しています。

質問：なぜリズはアクセサリーを売ろうとしているのですか。

▶ 1 アクセサリーをデザインするため。

　2 アクセサリー店に行くため。

　3 お金を作るため。

　4 誕生日プレゼントを買うため。

(6) 放送文 Thank you for shopping with us tonight. Hyde Department Store will close in fifteen minutes. Please finish your shopping and check out when you purchase our products. Tomorrow, on March 29th, we are closed. On March 30th, we will open at 10:30 a.m. and close at 9:00 p.m. We are looking forward to your next visit.

Question: When does Hyde Department Store open next?

日本語訳　今夜は当店でお買い物くださりありがとうございます。ハイドデパートはあと15分で閉店です。お買い物を済ませ，商品をお買い上げのお客様は退店をお願いいたします。明日3月29日は休業いたします。3月30日は午前10時30分に開店，午後9時に閉店の予定です。皆様のまたのご来店をお待ちしております。

質問：ハイドデパートは，次はいつ開店しますか。

▶ 1 3月28日午後9時

　2 3月30日午前10時30分

　3 3月29日午前10時30分

　4 3月30日午前9時

学習日
／
☆理解度
□カンペキ！
□もう一度
□まだまだ…

質問を予想しよう 放送を聞く前に，選択肢に目を通します。

1 By recycling garbage from houses.
2 By creating electricity in an eco-friendly way.
3 By using the hot water sent from recycling centers.
4 By buying waste heat from plants.

💡 **考えてみよう** 選択肢を見て，質問されることを予想しましょう。

選択肢の1の訳は「家庭からの（ ごみ ）をリサイクルすることによって」
選択肢の2の訳は「環境にやさしい方法で（ 電気 ）を生み出すことによって」
選択肢の3の訳は「リサイクルセンターから送られてくるお湯を使うことによって」
選択肢4の訳は「工場からの廃熱を買うことによって」

By ～ingで答えているので，質問は疑問詞（ How ）で「何かを行う方法」について尋ねてくると予想できます。

⚠ **注意！**

選択肢はすべて「環境問題」に関することです

🔊 **音声を聞いて，問題を解いてみよう** ▶ 解答（ 3 ）

R 11

読まれた英文 もう一度音声を聞き，空欄をうめましょう。

These days, the idea of recycling waste (heat) is becoming popular in some European countries. For example, in Copenhagen the (capital) of Denmark, recycling centers collect waste heat from plants to (create) hot water. Then the hot water is sent to houses in the city through pipes. People can (use) the hot water to (warm) up their houses.

QUESTION: (How) can people in Copenhagen warm up their homes?

日本語訳

最近，ヨーロッパの一部の国では，廃熱をリサイクルするという考え方が広がりつつあります。例えば，デンマークの首都コペンハーゲンでは，リサイクルセンターが温水を作るために工場からの廃熱を集めます。そして，その温水はパイプを通って市内の家に送られます。人々はその温水を家を暖めるために使うことができます。

質問：コペンハーゲンの人々はどのようにして家を暖めることができますか。

説明文は，テーマを素早く理解することが重要です。ここでは「環境問題」，詳しくは「廃熱をリサイクルすること」がテーマになっています。説明文の内容をまとめた3が正解です。

88

練習問題

(1) 3 **(2)** 4 **(3)** 2 **(4)** 3 **(5)** 3 **(6)** 1

解説

(1) 放送文 Many countries are going to prohibit selling gas-powered cars in the 2030s. It's one of the ways to reduce carbon dioxide and prevent global warming. We will use electric cars instead. Electric cars are good for the environment, but the problem is that they're expensive. Prices of electric cars must go down for an electric cars to become more common.

Question: What is one thing we learn about electric cars?

日本語訳 多くの国が2030年代までにガソリン車の販売を禁止します。これは二酸化炭素を減らし，地球温暖化を防ぐ手段の1つです。私たちは代わりに電気自動車を使うことになるでしょう。電気自動車は環境には良いですが，問題は価格が高いことです。電気自動車がより普及するためには，価格の低下が求められます。

質問：電気自動車について言えることは何ですか。

▶ 1 電気自動車は2030年よりあとに売られる。
　 2 今現在，ガソリン車は電気自動車より高い。
　 3 私たちは，地球温暖化を防ぐために，将来電気自動車を使うでしょう。

---

4 すべての点で，電気自動車はガソリン車より優れている。

(2) 放送文 Sophia went on a trip to Italy last month. She enjoyed visiting many cities but the highlight for her was visiting Firenze. She really enjoyed seeing pictures drawn in the Renaissance. She got some sheets of paper which were made in the traditional Italian way. They're very beautiful, so she is thinking of making stationery with them.

Question: What did Sophia do last month?

日本語訳 ソフィアは先月イタリアへ旅行しました。彼女は多くの都市を訪れて楽しみましたが，フィレンツェへの訪問が最も楽しいものでした。彼女はルネッサンス時代に描かれた絵画鑑賞を楽しみました。彼女はイタリアの伝統技法で作られた何枚かの紙を手に入れました。それらはとても美しく，彼女はそれらで便箋を作ろうと思っています。

質問：ソフィアは先月何をしましたか。

▶ 1 イタリアの伝統的な紙で便箋を作った。
　 2 絵を描くのを楽しんだ。
　 3 イタリアで伝統的な紙を作ろうとした。
　 4 イタリアの多くの都市を訪れた。

(3) 放送文 Ladies and Gentlemen. May I have your attention please, NAL Airlines Flight seven one five, bound for HANEDA. Boarding will be at 6:00 p.m. Before boarding for all passengers, we will first invite anyone traveling with small children and needing special assistance. Passengers on this flight, please wait around gate five zero. Thank you.

Question: What should passengers taking Flight 715 do now?

日本語訳 NAL航空715便羽田行きにご搭乗の皆様にお知らせいたします。ご搭乗は午後6時に開始予定です。すべてのお客様のご案内前に，小さなお子様連れ，または介助が必要なお客様を先にご案内いたします。この便にご搭乗のお客様は50番搭乗口付近でお待ちくださるようお願いいたします。

質問：715便の搭乗客は，今は何をすべきですか。

▶ 1 715便に搭乗する。
　 2 50番搭乗口付近で待つ。
　 3 小さな子ども連れの人を案内する。
　 4 午後6時までに戻ってくる。

(4) 放送文 Kappa-bashi Tool Street has many specialty shops for kitchenware. The street has a history dating back more than 100 years and many cooking experts have come here to get good kitchenware. These days, the shops are popular with locals and foreign tourists. The plastic food samples that people get there are especially popular as souvenirs.

Question: What is one thing we learn about Kappa-bashi?

日本語訳 　かっぱ橋道具街には台所用品の専門店がたくさんあります。その道具街には100年以上の歴史があり，多くの料理専門家が良い台所用品を手に入れるためにここに通っています。最近では，専門店は一般人や外国人観光客に人気があります。そこで手に入れるプラスチックの食品サンプルは，お土産として特に人気があります。

質問：かっぱ橋についてわかることは何ですか。

▶ **1** かっぱ橋道具街は，長い間外国人観光客に人気がある。
   2 かっぱ橋道具街には，プラスチック食品サンプルを売っている店はない。
   3 かっぱ橋道具街は，100年以上前に造られた。
   4 かっぱ橋道具街は，料理専門家のみに台所用品を売っている。

(5) 放送文 Noah's grandfather had an old watch, and Noah had wanted it for a long time. However, his grandfather wouldn't give it to him. One day his grandfather suddenly came to Noah and handed it to Noah. Noah was so glad, but he wondered why. A few weeks later, his grandfather passed away. Now he treasures it in memory of his grandfather.

Question: What is one thing we learn about the watch?

日本語訳 　ノアの祖父は古い腕時計を持っていて，ノアはそれをずっと欲しいと思っていました。しかし，祖父はそれを彼にあげようとはしませんでした。ある日，祖父が突然ノアのところに来て，ノアにそれを手渡しました。ノアはとても喜びましたが，なぜなのか，不思議にも思いました。数週間後，祖父はこの世を去りました。今ではそれを祖父の形見として大切にしています。

質問：腕時計についてわかることは何ですか。

▶ **1** ノアの祖父は彼の時計をノアにあげなかった。
   2 腕時計は古く，今は動かない。
   3 ノアは今，腕時計をとても大事にしている。
   4 ノアは今でさえ，なぜ祖父が腕時計をくれたのか知らない。

---

(6) 放送文 Hello, runners. The GOR Marathon Race will start in thirty minutes. Runners will leave in groups sorted by the runner's number tags to avoid confusion. Runners having number tags 001 to 100, please line up at the red starting line ahead. Runners with number tags over 100, please line up at the yellow starting line behind. Thank you for your cooperation.

Question: Why is this announcement being made?

日本語訳 　ランナーの皆様，GORマラソンは30分後にスタートいたします。混乱を避けるため，ランナーは背番号によりグループごとにスタートします。背番号1から100までのランナーの方は，前方の赤いスタートラインにお並びください。100より大きい背番号のランナーの方は，後方の黄色いスタートラインにお並びください。ご協力をありがとうございます。

質問：なぜこのアナウンスはされていますか。

▶ **1** グループごとに走り始めるため。
   2 背番号を渡すため。
   3 イベントを祝うため。
   4 ランナーに敬意を払うため。

模擬試験 解答一覧

注意事項
①解答にはHBの黒鉛筆（シャープペンシルも可）を使用し，解答を訂正する場合には消しゴムで完全に消してください。
②解答用紙は絶対に汚したり折り曲げたり，所定以外のところへの記入はしないでください。
③マーク例

良い例	悪い例
●	⊙ ⊗ ◓

■ これ以下の濃さのマークは読めません。

解答欄

問題番号		1 2 3 4
1	(1)	3
	(2)	1
	(3)	2
	(4)	1
	(5)	4
	(6)	3
	(7)	4
	(8)	2
	(9)	3
	(10)	4
	(11)	3
	(12)	1
	(13)	3
	(14)	1
	(15)	4

解答欄

問題番号		1 2 3 4
2	(16)	3
	(17)	4
	(18)	1
	(19)	3
	(20)	2
3	(21)	2
	(22)	1
4	(23)	3
	(24)	4
	(25)	3
	(26)	3
	(27)	2
	(28)	4
	(29)	3

リスニング解答欄

問題番号		1 2 3 4
第1部	No.1	3
	No.2	1
	No.3	3
	No.4	1
	No.5	1
	No.6	1
	No.7	2
	No.8	3
	No.9	1
	No.10	1

リスニング解答欄

問題番号		1 2 3 4
第2部	No.11	4
	No.12	3
	No.13	3
	No.14	4
	No.15	3
	No.16	3
	No.17	2
	No.18	2
	No.19	2
	No.20	3

リスニング解答欄

問題番号		1 2 3 4
第3部	No.21	3
	No.22	1
	No.23	3
	No.24	3
	No.25	2
	No.26	3
	No.27	1
	No.28	2
	No.29	4
	No.30	2

※ 5 6 の解答例はP37，38にあります。

1

(1) 3	*(2)* 1	*(3)* 2	*(4)* 1	*(5)* 4
(6) 3	*(7)* 2	*(8)* 2	*(9)* 3	*(10)* 4
(11) 3	*(12)* 1	*(13)* 3	*(14)* 1	*(15)* 4

(1) 正解 3

昨日，アンの上司は，彼女がとても疲れているようだったので，彼女を早めに帰宅させた。
▶ 1 患者　　2 俳優　　3 上司　　4 詩人

(2) 正解 1

失敗なんか気にするなよ，マイク。もう一度やってみろよ！
▶ 1 失敗　　2 日の出　　3 合図　　4 レシピ

(3) 正解 2

A：ジェフが食べているステーキを見て！
B：うん，大きいだけじゃないね。すごく厚みもある。
▶ 1 中央の　　2 厚みのある
　3 潔白な　　4 勇敢な

(4) 正解 1

A：誤りがあり，大変申し訳ございません，ケラー様。
B：大丈夫ですよ。ですが二度としないでくださいね。
▶ 1 非常に　　　　2 最近
　3 一般に　　　　4 現在は

(5) 正解 4

A：明日は暑くなるかな？
B：うん。天気予報では最高気温が35度になるって言っていたよ。
▶ 1 要素　　　　2 温度
　3 高さ　　　　4 度

(6) 正解 3

わが国の人口は年々減少している。
▶ 1 ～を解明している　　2 こぼれている
　3 減少している　　　　4 ～を行っている

(7) 正解 2

その団体は，ハリケーン被災地の人々への援助金を集めている。
▶ 1 ～を飾っている　　　2 ～を調達している
　3 主張している　　　　4 ～を説明している

(8) 正解 2

ジェニーは野菜を買うために，今朝，市場へ行った。
▶ 1 レース　　　　2 市場
　3 クローゼット　　4 階段

(9) 正解 3

この職に応募するには少なくとも3年の経験が必要だ。
▶ 1 隠れる　　　　2 準備する
　3 志願する　　　4 請け合う

(10) 正解 4

植物が乾燥条件の中で生き延びるのはとても難しい。
▶ 1 ～を解錠する　　2 ～を公表する
　3 ～を無視する　　4 生き残る

(11) 正解 3

マリアはここ数週間とても忙しかった。今週末はのんびりするつもりだ。
▶ take it easy「くつろぐ，落ち着く」

(12) 正解 1

A：祖父が来月マラソン大会に参加するつもりだって言っているの。どう思う？
B：そうだな。確かに年齢の割には健康だよね。
▶ in good shapeで「調子がよい」の意味。It's true (that) ～.「確かに～だ」，for *one's* age「（～の）年の割には」。

(13) 正解 3

ウィリアムは近所からの騒音のせいで宿題に集中できなかった。
▶ concentrate on ～で「～に集中する」を表す。because of ～「（原因・理由として）～のために」

(14) 正解 1

A：サーシャが先生に私がグループ課題を学校に持って来るのを忘れたと言ったのですが，忘れたのは彼女です！
B：そう，彼女は自分の誤りをあまり潔く認めないですね。

(15) 正解 4

激しい雨が原因で，今朝は交通渋滞が起きた。誰も定時に出社しなかった。
▶ 1 何でも　　　　2 何も～ない
　3 誰でも　　　　4 誰も～ない

(16) 3	(17) 4	(18) 1	(19) 3	(20) 2

(16) 　正解　**3**

A：すみません。ここにACアダプターが2つあります。こっちのほうが高いのはなぜですか？

B：こちらは，世界中のほぼすべての国で使用可能です。

A：海外へ行く予定はないんです。なので，こっちの安いほうを買います。

B：この国内でのみお使いになるのでしたら，それがよろしいですね。

▶ **1** もう1つ質問があります。
　2 値段がより高いですけれど，それを買います。
　4 お話しできてよかったです。

(17) 　正解　**4**

A：今日の午後，セントラル駅でムラタ・カズにばったり会ったよ。彼のこと，覚えているかい？

B：もちろん。今は日本で商社で働いているわよね？

A：そうそう。仕事で来週までここニューヨークに滞在しているって言っていたよ。

B：そうなの？　今週末，彼を夕食に招待できるわね。

▶ **1** それじゃあ，きっと今ごろ，日本へ戻る飛行機に乗っているわね。
　2 彼は日本語学の教授よね？
　3 あなたは今朝，彼と一緒に朝食を食べたわ。

(18) 　正解　**1**

A：アンジェラ，君のセーターいいね。どこで買ったの？

B：実は，兄［弟］が私のために作ったのよ。

A：君の兄［弟］のニックが？　編み物ができるなんて知らなかったよ。彼って多才なんだね！

B：編んだだけじゃないのよ。この柄もデザインしたの。

▶ **2** ヴィクトリア・モールで買ったの。
　3 母に借りたのよ。
　4 ニックが私のために買ってくれたの。

(19) 　正解　**3**
(20) 　正解　**2**

A：スペイン語の宿題を手伝ってくれない，お父さん？

B：お母さんに頼んでみたら？　僕よりずっと上手にその言葉を話すよ。

A：頼んだんだけど，忙しすぎるの。明日のプレゼンテーションの準備をしているわ。

B：わかった。ちょっと見てもいいかい？　ああ，自分のコンピューターでエッセイを書いているところだね。

A：うん，ちょうどそれが終わったところなんだけど，まだ駄目だってわかってるの。チェックしてほしいの。

B：綴りをたくさん間違えてしまっているようだね。スペル

チェッカーの使い方は知っている？

A：スペイン語にも使えるの？　そんなの誰も教えてくれなかったわ。

B：設定を変えなくちゃいけないんだ。教えてあげるよ。

(19)

▶ **1** 僕がスペイン語を話せないのは知っているね。
　2 ごめんよ，今すぐ行かないといけないんだよ。
　4 10分待ってくれるかい？

(20)

▶ **1** このエッセイの締め切りがいつか
　3 英語でそれを何と言うか
　4 スペイン語の先生がどこの出身か

3

(21) 2	(22) 1

ルーシーのお気に入りの絵本

　ルーシーが幼い少女だったころ，彼女の母は毎晩彼女に絵本を読んで聞かせてくれた。ルーシーは母が優しい声で物語を読んでくれるのを聞くのが大好きだった。ルーシーのお気に入りは，少年と鳥についての物語だった。その物語では，少年が森で傷ついた鳥を見つけ，その鳥が自身で再び空を飛べるほど元気になるまで世話をしてやった。物語の最後に，鳥は少年の家に戻り，庭の木に巣を作るのだった。

　今ルーシーは結婚して，幼い娘が1人いる。先週の金曜日，彼女は大きな書店で少年と鳥についての絵本を偶然見つけた。彼女がページをめくっていると，絵が彼女の記憶を蘇らせた。ルーシーはその絵本を買い，その夜，娘のマリーに物語を読んで聞かせた。マリーが彼女にもう一度その物語を読んでくれるようにせがんだとき，彼女はとても嬉しかった。

(21) 　正解　**2**

▶ **1** それを鳥かごに戻した
　2 それを世話した
　3 助けを求めた
　4 その両親を探した

(22) 　正解　**1**

▶ **1** ページをめくっていた
　2 あたりを見回していた
　3 店員と話していた
　4 勘定を払っていた

4[A]

(23) 3　(24) 4　(25) 3

差出人：アンディ・ベイカー
<andy-baker@worldmail.com>
宛先：ジェシカ・ウィリアムズ
<jessica-williams@homemail.com>
日付：6月14日
件名：フード・フェスティバル

こんにちは, ジェシカ

　今日は君が学校に来られなくて残念だった。君のお母さんから聞いた話では, 君はおなかが痛かったそうだね。今はよくなっていればいいんだけど。今日はブラッドリー先生から歴史の宿題が出ました。僕たちは20世紀からのアメリカ大統領の1人を選んで, 今月末までにその大統領についてレポートを書かなければいけないんだ。

　以前にも話したように, 僕たちの市では, 9月にバーツビル・フード・フェスティバルと呼ばれる特別なイベントを開くことになっているんだ。君がそれを楽しむのは今回が初めてだね。新鮮な肉や果物, 野菜を使ったいろいろな種類の料理が訪問客に出されるよ。フェスティバルの市場では, 訪問客は地元で作られた食料品を手ごろな値段で買うこともできる。このイベントは10年前に始まって, 客の数は年々増えているんだ。

　今, フェスティバル実行委員会では, 外国からの訪問客を助けることができるボランティアガイドを募集しているんだ。フェスティバルで働くことは, 彼らと交流するよい機会になるだろう。実は, 僕は去年フェスティバルのガイドとして働いたとき, ヨーロッパからやって来た何人かの観光客と親しくなったんだ。君と僕は2人ともフランス語が話せるから, フランス語圏の国や地域から来た人々を助けることができるだろう。一緒にボランティアをしてみないか? 君の考えを聞かせてくれ。

　それじゃ, また。

アンディ

---

(23)　正解　3

今日ジェシカに何が起きたのか。

▶ **1** 彼女は歴史の試験でよい成績を取れなかった。
2 彼女はアメリカの大統領についてのレポートを書き終えることができなかった。
3 彼女は具合が悪かったので, 学校を休んだ。
4 彼女はブラッドリー先生の宿題を確認するのを忘れた。

(24)　正解　4

バーツビル・フード・フェスティバルについて正しいことは何か。

▶ **1** フェスティバルの期間中, 食品コンテストが催される。
2 訪問客は野菜の種を無料でもらえる。
3 市内の多くのレストランがフェスティバルに参加する。
4 訪問客の数はこの10年間で増えている。

(25)　正解　3

アンディがジェシカに提案していることは,

▶ **1** フード・フェスティバルのために創作料理を作る。
2 フード・フェスティバルの期間中, 市場で買い物を楽しむ。
3 ボランティアとしてフェスティバルに参加する。
4 海外からの観光客を助けることができるようにフランス語を学ぶ。

4[B]

(26) 2　(27) 1　(28) 4　(29) 3

友情と平和のシンボル

　チューリップは, 春に育ち花をつける有名な植物である。チューリップはトルコ原産で, 16世紀にヨーロッパに持ち込まれたと言われている。現在では, それらは世界の多くの花壇に植えられている。チューリップの花はかわいらしく, 色とりどりなので, 多くの人々がそれらを見て楽しむ。多くの国々でチューリップ・フェスティバルが開かれている。オタワで開かれるカナダ・チューリップ・フェスティバルは世界的に有名である。

　第二次世界大戦中の1940年, オランダ王室一族は戦禍を逃れてイギリスに向かった。その後, 1943年にユリアナ王女はカナダに渡り, オタワの市民病院で出産した。オランダの法律では, 国外で生まれた王室の子どもは王または女王になることができなかった。そこでカナダ政府は, ユリアナが滞在している病室をオランダ領の一部とみなした。カナダのおかげで, ユリアナ王女の赤ん坊は女王になる権利を得た。戦争終結後の1946年, オランダは感謝として, たくさんのチューリップをオタワ市に贈った。

　オランダはオタワ市にチューリップを送り続けた。やがてその都市はチューリップの花で有名になった。多くの人々が, チューリップの花に魅了された。偉大な写真家であるマラク・カーシュもそうした1人だった。カーシュはトルコで生まれたが, 1937年にカナダに渡り, 仕事を始めた。彼は, オタワにあるチューリップはすべてカナダの全国民のものだと考えた。彼は多くの人々が, 愛するオタワの町を訪問することを望んだ。1953年, 彼はオタワにおける最初のカナダ・チューリップ・フェスティバルの開催のために尽力した。

カナダ・チューリップ・フェスティバルは，オランダから送られたチューリップを記念するものである。チューリップはカナダとオランダの友好と平和の象徴である。両国は長年にわたって友好関係を維持してきた。今日，カナダ・チューリップ・フェスティバルは，チューリップを通して国際親善と平和を促進しようとしている。

(26) [正解] **2**
チューリップについて正しいことは何か。
- ▶ **1** ある種のチューリップは1年に2回咲く。
- **2** それはトルコ原産である。
- **3** ヨーロッパ人が祭りのために自国にそれを持ち込んだ。
- **4** カナダは国家経済をチューリップに依存している。

(27) [正解] **1**
なぜオランダはカナダにそれほど感謝したのか。
- ▶ **1** カナダはユリアナの赤ん坊が女王になることを可能にした。
- **2** 戦争中，カナダは多くのオランダから来た人を救った。
- **3** カナダは1946年にオランダ王室を招待した。
- **4** カナダはオランダからチューリップを輸入することを決めた。

(28) [正解] **4**
マラク・カーシュがカナダ・チューリップ・フェスティバル設立に尽力した理由は，
- ▶ **1** 彼は母国で美しいチューリップの花を見たことを覚えていた。
- **2** 彼はフェスティバルが彼に写真家として成功する機会を与えてくれるだろうと考えた。
- **3** 彼はフェスティバルを通してオタワの美しさを示したかった。
- **4** 彼はオタワのチューリップの美しさをカナダの多くの人々と共有したかった。

(29) [正解] **3**
チューリップは～において新たな役割を演じるだろう。
- ▶ **1** カナダとトルコの良好な関係を維持すること
- **2** チューリップが育つ自然環境を保護すること
- **3** 国際親善を促進し平和を構築すること
- **4** フェスティバルを世界最大のチューリップ・フェスティバルにすること

5

解答例1 I know baseball is important to you. How many games will you play? Also, how many teams will participate? To answer your question, I'd just like to go out for ice cream. The weather has been nice lately. We can walk along the beach while we enjoy our ice creams. (50 words)

解答例1訳 （こんにちはライアン！ Eメールをありがとう。）
あなたにとって野球が大切なのは知っています。あなたは何試合に出ますか。それと，何チーム参加しますか。あなたの質問に答えると，私はアイスクリームを食べに行きたいです。このところ天気がいいです。私たちはアイスクリームを楽しみながら砂浜を歩くことができます。
（幸せを願って，）

解答例2 Don't worry about it! Where is the baseball tournament going to be held? What position do you play? Regarding your question, I'd like to go bowling together. I have always enjoyed bowling, but I haven't gone bowling in a long time. It would be nice to go again. (48 words)

解答例2訳 気にしないでください！ 野球のトーナメント戦はどこで行われますか。あなたはどのポジションでプレーしますか。あなたの質問に関して，私は一緒にボウリングに行きたいです。私がずっとボウリングを楽しんできましたが，長い間ボウリングに行っていません。また行くのはいいと思います。

Eメール訳 こんにちは！
次の土曜日のあなたの誕生日パーティーについてのEメールをちょうど受け取りました。あいにく，私は次の週末に野球のトーナメント戦があるので，行くことができません。私はすでにチームメイトに参加を約束しました。私たちのチームにとってそれはとても重要なトーナメント戦です。でも，別の日にあなたの誕生日を祝って，一緒に何かをすることはできます！ あなたは何がしたいですか。教えてくれれば，私が計画します！
あなたの友達，ライアン

質問

あなたは，英語を学ぶためには英語圏の国へ行くべきだと思いますか。

解答例1 I don't think it's necessary. I have two reasons. First, there are so many types of English textbooks for different levels of learners. So, anyone can find an appropriate textbook to learn English, without leaving Japan. Second, thanks to the internet, we can find friends in different countries. We can practice speaking English with them.(55語)

解答例1訳　私はそれが必要だとは思いません。理由は2つあります。第1に，学習者の異なるレベル向けに，とても多くの種類の英語の教科書があります。ですから，日本を出ることなく，誰もが英語を習得するのに適切な教科書を見つけることができます。第2に，インターネットのおかげで，さまざまな国で友達を見つけることができます。彼らと英会話を練習することができます。

解答例2 Yes, I think so. First, everyone around you speaks English. So, you can practice speaking the language all the time. Also, in such a country, you have to use English to do anything. This will be a strong motivation for you to learn the language. Therefore, I think you should go to an English-speaking country to study English.（58語）

解答例2訳　はい，そう思います。第1に，自分の周囲の誰もが英語を話します。だから，いつでもその言語を話す練習ができます。また，そのような国では，何かをするためには英語を使わなければなりません。これは言語を習得するための強い動機づけになります。ですから，私は，英語を学ぶためには英語圏の国へ行くべきだと思います。

リスニング

第1部

No. 1 2	*No. 2* 1	*No. 3* 3	*No. 4* 2
No. 5 2	*No. 6* 1	*No. 7* 3	*No. 8* 2
No. 9 1	*No. 10* 1		

No. 1 正解 2

A: Hello. Andrea's Pizza. How may I help you?

B: I'd like to order two large Special Pizzas, please.

A: Would you like them to be delivered to your place?

▶ *1* Yes, I like pizzas so much.
2 No, I'll pick them up myself.
3 This is the first time I've called you.

訳 A：こんにちは。アンドレア・ピザです。何にいたしましょうか。

B：スペシャル・ピザのLサイズを2枚ください。

A：配達をご希望ですか。

▶ *1* はい，ピザがものすごく好きです。
2 いいえ，自分で受け取りに行きます。
3 そちらへ電話するのは初めてです。

No. 2 正解 1

A: I have to charge my smartphone. Do you happen to have a charger, George?

B: Well, not here.

A: Oh, no. I have to call my sister now.

▶ *1* You can use my phone.
2 There's no Wi-Fi here.
3 OK, I'll call you.

訳 A：スマートフォンを充電しないといけないわ。ジョージ，ひょっとして充電器を持ってる？

B：えっと，ここにはないね。

A：ああ，どうしよう。今すぐ妹に電話しなくちゃいけないの。

▶ *1* 僕の電話を使っていいよ。
2 ここにWi-Fiはないよ。
3 わかった，電話するね。

No. 3 正解 3

A: You look terrible. Are you all right, Lisa?

B: Oh, I'm just tired after three exams in one day, Dad.

A: Well, why don't you get some sleep?

▶ *1* I'm not tired at all.
2 What shall I do for you?
3 Yes, I'll do that.

訳 A：ひどい様子だね。リサ，大丈夫かい？

B：うーん，1日に3つも試験があったから，ちょっと疲れちゃったのよ，お父さん。

A：なるほど，少し眠ったらどうだい？

▶ *1* ちっとも疲れていないわよ。

  2 何か手伝おうか？

  3 うん，そうするわ。

No. 4 正解 2

A: What are you planning to do after graduating high school, Jack?

B: I'm going to a university in Australia.

A: That's nice. What are you going to study there?

▶ *1* I want to study in America.

  2 Either English or mathematics.

  3 I'll start working.

訳 A：ジャック，高校卒業後は何をするつもりなの？

B：オーストラリアの大学に進む予定だよ。

A：いいわね。そこで何を勉強するの？

▶ *1* アメリカで勉強したいんだ。

  2 英語か数学だよ。

  3 働き始めるつもりだよ。

No. 5 正解 2

A: Hello?

B: Where are you, Scott? We've been waiting for you for almost half an hour. The show is about to start.

A: Sorry! I'll be there in five minutes.

▶ *1* Don't worry. You still have an hour.

  2 All right. Hurry up.

  3 Well, the show has just finished.

訳 A：もしもし？

B：スコット，どこにいるのよ？　私たち，30分近くも待っているのよ。ショーがそろそろ始まるわ。

A：ごめんよ！　5分で着くから。

▶ *1* 心配しないで。まだ1時間あるから。

  2 わかったわ。急いでね。

  3 そうねえ，ショーはちょうど終わったところよ。

No. 6 正解 1

A: Let's go out for dinner tonight, honey.

B: Oh, I was just going to say the same thing!

A: How about the new Chinese restaurant near the supermarket?

▶ *1* OK. Why not?

  2 OK. I'll cook something tonight.

  3 OK. Let's have lunch there.

訳 A：ねえ，今夜は夕食は食べに行こうよ。

B：あら，ちょうど同じことを言おうとしていたのよ。

A：スーパーの近くの新しい中華料理店はどう？

▶ *1* いいわよ。そうしましょう。

  2 いいわよ。今夜は何か作るわね。

  3 いいわよ。そこで昼食を食べましょう。

No. 7 正解 3

A: Excuse me, driver. Is this the bus for Eastwood Station?

B: Yes, ma'am. But the one in front of us leaves first.

A: Oh, thank you. Is it leaving soon?

▶ *1* You can walk to the station.

  2 Five dollars.

  3 Yes. In two minutes.

訳 A：すみません，運転手さん。これはイーストウッド駅行きのバスですか？

B：そうですよ，お客さん。ですが，前にいるバスが先に出発しますよ。

A：まあ，ありがとうございます。もう発車しますか。

▶ *1* 駅まで歩けますよ。

  2 5ドルです。

  3 ええ。あと2分で。

No. 8 正解 2

A: Have you finished your history report for Ms. Green's class, Terry?

B: Yeah. I did it over the weekend. I can turn it in today.

A: What did you write about?

▶ *1* I went to the library to work on it.

  2 The history of the motorcycle.

  3 It's due on Wednesday, right?

訳 A：グリーン先生のクラスの歴史のレポートは終わった，テリー？

B：うん。週末にやった。今日，提出できるよ。

A：何について書いたの？

▶ *1* それをするのに図書館に行ったよ。

  2 オートバイの歴史についてだよ。

  3 締め切りは水曜日だよね？

No. 9 〔正解〕 1

A: Hello. I'd like to sign up for the Italian class.

B: OK. Do you have some experience of learning the language?

A: No, I'm a total beginner.

▶ *1* OK. Could you fill out this form?

2 Sorry. The class is only for beginners.

3 Can you work 4 or 5 days a week?

訳 A：こんにちは。イタリア語のクラスに申し込みたいのですが。

B：わかりました。その言語を習った経験はありますか。

A：いいえ，全くの初心者です。

▶ *1* わかりました。この用紙にご記入いただけますか。

2 すみません。クラスは初心者向けのみです。

3 週に4日か5日働けますか。

No. 10 〔正解〕 1

A: Jill's Steakhouse. This is Mathew speaking.

B: I'd like to make a reservation for three people tonight.

A: I'm afraid we are full tonight, ma'am. Would you like to make a reservation for tomorrow evening?

▶ *1* Well, how about the day after tomorrow?

2 No, thank you. I'm full.

3 I hear that your steak is amazing.

訳 A：ジルのステーキハウスです。マシューが承ります。

B：今夜，3人の予約をしたいのですが。

A：あいにく今夜は満席となっております，お客さま。明晩のご予約ではいかがでしょうか。

▶ *1* ええと，明後日はどうですか。

2 いいえ，結構です。おなかいっぱいです。

3 そちらのステーキがすばらしいと聞きました。

第2部

No. 11 4	No. 12 3	No. 13 2	No. 14 4
No. 15 3	No. 16 4	No. 17 2	No. 18 2
No. 19 2	No. 20 3		

No. 11 〔正解〕 4

A: Melanie, isn't this your cellphone?

B: Can I have a look at it? Oh, yes, this is mine! Where did you find it?

A: In the parking lot. You must have dropped it there.

B: Thank you so much. I've been looking for it since yesterday.

Question: Why is the woman happy?

訳 A：メラニー，これは君の携帯じゃない？

B：ちょっと見てもいい？　ああ，そうね，これは私のだわ。どこで見つけたの？

A：駐車場だよ。きっとそこで落としたんだよ。

B：本当にありがとう。昨日からずっと探していたのよ。

質問：女性はなぜ喜んでいますか。

▶ *1* 駐車スペースを見つけたから。

2 新しい駐車場が建設されるから。

3 新しい携帯電話を買ったところだから。

4 自分の携帯電話がようやく見つかったから。

No. 12 〔正解〕 3

A: Did you go to the zoo yesterday, Mark? How was it?

B: It was fun, Grandma. I saw a lot of animals.

A: What did you like the most?

B: The rhinoceroses. I saw them for the first time.

Question: What did Mark do yesterday?

訳 A：マーク，昨日，動物園に行ったの？　どうだった？

B：楽しかったよ，おばあちゃん。たくさんの動物を見たよ。

A：何が一番気に入った？

B：サイだよ。初めて見たんだ。

質問：マークは昨日，何をしましたか。

▶ *1* 初めて動物園に行った。

2 たくさん写真を撮った。

3 サイを見た。

4 祖母を訪ねた。

No. 13 〔正解〕 2

A: Excuse me. I bought this book here last week, but I've just found that some pages are missing.

B: Oh, you're right. Do you want to exchange this for a new one?

A: Is that all right? I don't have the receipt any more.

B: That's fine. Just a moment, I'll go check the bookshelf.

Question: What will the man get in exchange for the book?

訳 A：すみません。先週ここでこの本を買ったのですが，何ページか抜けていることに気付いたんです。

B：まあ，おっしゃる通りですね。新しいものとの交換をご希望ですか。

A：大丈夫ですか。　レシートをもう持っていないんです。

B：大丈夫ですよ。少々お待ちください。書棚を確認してきます。

質問：男性はその本の代わりに何を受け取りますか？

▶ *1* 支払った全額。

2 同じ本の新しい1冊。

3 小切手。

4 領収書。

No. 14 正解 4

A: Hi, Bob. Do you want to play tennis with me after school?

B: I'd love to, Cathy, but I think it's going to be very windy this afternoon.

A: Are you sure? Then, it won't be the best day for tennis.

B: We can do it tomorrow, or the day after tomorrow, I guess.

Question: Why won't they play tennis this afternoon?

訳 A：こんにちは，ボブ。放課後，私とテニスをしない？

B：ぜひそうしたいね，キャシー，でも今日の午後はすごく風が強くなると思うよ。

A：本当に？　じゃあ，テニスにはきっと不向きね。

B：明日はできるよ，それか明後日，多分ね。

質問：今日の午後，彼らがテニスをしないのはなぜですか。

 ▶ *1* ボブが忙しくなる。

 2 キャシーがラケットを持ってくるのを忘れた。

 3 気候が暑すぎる。

 4 強風になる。

No. 15 正解 3

A: This smells really good. What are you making, Dad?

B: I'm making fish soup. A friend of mine gave me the recipe.

A: What is this pineapple for? Don't tell me this goes into the soup.

B: That's exactly where it goes.

Question: What is the man about to do?

訳 A：これ，とてもいい匂いがするわ。お父さん，何を作っているの？

B：魚のスープを作っているんだよ。友人がレシピをくれてね。

A：このパイナップルは何のため？　これをスープに入れるんじゃないでしょうね。

B：まさに入れるところだよ。

質問：男性は何をしようとしていますか。

 ▶ *1* パイナップルジュースを飲む。

 2 娘にパイナップルをあげる。

 3 スープにパイナップルを入れる。

 4 パイナップルでデザートをいくつか作る。

No. 16 正解 4

A: Excuse me. I can't find my small bag. I may have left it inside this shop.

B: Oh, I found one half an hour ago. What does it look like?

A: It's a light-green leather bag with a long strap.

B: Then, this must be yours.

Question: What problem did the woman have?

訳 A：すみません。私の小さめのバッグが見つからなくて。こちらの店内に置き忘れたのかもしれません。

B：ああ，30分前にひとつ見つけましたよ。どのような見た目でしょうか。

A：長い肩紐で，ライトグリーンの革のバッグです。

B：では，こちらがあなたのものに違いないですね。

質問：女性の問題は何でしたか。

 ▶ *1* 違う店に来てしまった。

 2 30分早く着いてしまった。

 3 友人を見つけられなかった。

 4 バッグをなくした。

No. 17 正解 2

A: Hey, Sally. What did you get for your birthday from your parents?

B: A parrot. She's really cute!

A: Wow! Can I come to your house after school to see her?

B: Of course, Joe. Can you come around four?

Question: What will Joe do after school today?

訳 A：やあ，サリー。誕生日にご両親から何をもらった？

B：オウムよ。とってもかわいいの！

A：わあ！　放課後，君の家に見に行ってもいい？

B：もちろんよ，ジョー。4時ごろ来られる？

質問：今日の放課後，ジョーは何をしますか？

 ▶ *1* 誕生日パーティーに行く。

 2 サリーの新しいペットを見る。

 3 ペットショップで鳥を購入する。

 4 4時に宿題をする。

No. 18 正解 2

A: Hi, honey. I need a favor. Could you stop by the supermarket on the way home? We need some bread for tomorrow's breakfast.

B: In that case, I'll go to the new bakery shop near my office.

A: That sounds fine. I'll leave it to you.

B: All right. See you later.

Question: What will the man probably do on the way home?

訳 A：ねえ。お願いがあるの。帰りにスーパーに寄ってもらえるかしら。 明日の朝食用のパンが必要なの。

B：だったら，会社の近くの新しいパン屋に行くよ。

A：それはいいわね。あなたに任せるわ。

B：わかった。じゃあ，またね。

質問：男性は帰宅途中に何をすると思われますか。

▶ *1* 朝食を食べる。

2 パン屋に立ち寄る。

3 スーパーに行く。

4 パンを焼く。

No. 19 正解 2

A: Hello. I have a reservation for a single room. My name is Mr. Suzumoto.

B: Yes, Mr. Suzumoto. You're staying for two nights, right?

A: Is it all right to make it three nights? I want to stay until Friday.

B: We're sorry. All rooms are booked.

Question: What is the man's problem?

訳 A：こんにちは。一人部屋を予約しています。スズモトです。

B：はい，スズモト様。2泊のご予定ですね？

A：3泊にしても大丈夫ですか。金曜日まで滞在したいのですが。

B：申し訳ございません。全室予約で埋まっております。

質問：男性の問題は何ですか。

▶ *1* 予約するのを忘れた。

2 滞在を延長できない。

3 部屋が小さすぎる。

4 ホテルのレストランが閉まっている。

No. 20 正解 3

A: Hello. Jeff Sanders speaking.

B: Hi Mr. Sanders. This is Martha Hills. Can I speak to Dave?

A: Oh. He's now in Canada on a ski trip and won't be back until Monday next week. Would you like to leave a message?

B: That's OK. I think I'll contact him by e-mail.

Question: What will the girl probably do?

訳 A：こんにちは。ジェフ・サンダースです。

B：もしもし，サンダースさん。マーサ・ヒルズです。デイブと話せますか。

A：ああ。彼は今，スキー旅行中でカナダにいてね，来週月曜日まで戻らないんだよ。伝言があるかい？

B：大丈夫です。Eメールで彼と連絡を取ろうと思います。

質問：女の子は何をすると思われますか。

▶ *1* あとでまたデイブに電話をかける。

2 カナダのデイブを訪ねる。

3 デイブにEメールを送る。

4 デイブ宛てにメッセージを残す。

第3部

No. 21 3	No. 22 1	No. 23 3	No. 24 3
No. 25 2	No. 26 3	No. 27 2	No. 28 3
No. 29 4	No. 30 2		

No. 21 正解 3

There is a special food in Australia called Vegemite. People put it on a slice of bread like butter or jam. It is black, so it looks like chocolate, but it's not sweet. Actually, it's salty. Some people love it, but others don't really like it.

Question: What is one thing that we learn about Vegemite?

訳 オーストラリアにはベジマイトと呼ばれる特別な食べ物がある。人々は，バターやジャムのように，それをスライスしたパンに塗る。それは黒いのでチョコレートのように見えるが，甘くはない。実のところ塩辛い。それがとても好きな人もいるし，あまり好きではない人もいる。

質問：ベジマイトについてわかることは何か。

▶ *1* チョコレートのような味がする。

2 オーストラリアでは誰もがそれを好きである。

3 色が黒い。

4 バターやジャムと同じくらい人気がある。

No. 22 正解 1

Welcome to today's seminar. Our next speaker is Dr. Clyde Hopkins from the University of South St. Louis. He specializes in Asian history and speaks Chinese, Korean and Japanese very fluently. The theme for today is the trade history between China and Japan since the 18th century. Now, let's welcome Dr. Hopkins.

Question: What will Dr. Hopkins' speech be about?

訳 本日のセミナーにようこそ。次の講演者はサウス・セントルイス大学のクライド・ホプキンス博士です。彼はアジア史がご専門で，中国語，韓国語，日本語を大変流暢に

話されます。本日のテーマは，18世紀以降の中国と日本の交易の歴史についてです。それでは，ホプキンス博士をお迎えしましょう。

質問：ホプキンス博士の講演は何についてか。

▶ *1* 日本と中国の交易の歴史。
  2 韓国と中国の外交関係。
  3 アジアの言語における類似点。
  4 中国料理と日本料理。

No. 23 　正解　3

Amy moved to a house in the countryside. Her company allows its workers to work from home. So, it wasn't really necessary to live in her small apartment in the city. There is a beautiful lake near her house. She's planning to swim there every day after work when the summer comes.

Question: What does Amy do now?

訳 エイミーは田舎の一戸建ての家に引っ越した。彼女が働く会社は，社員に在宅勤務を許可している。そのため，都会の狭いアパートに住む必要はあまりなかった。彼女の家の近くには美しい湖がある。彼女は，夏になったら，毎日仕事のあとにそこで泳ごうと思っている。

質問：エイミーは現在，何をしているか。

▶ *1* 毎日湖で泳いでいる。
  2 アパートに住んでいる。
  3 在宅勤務をしている。
  4 新しい家に引っ越す予定でいる。

No. 24 　正解　3

Nancy loves playing the saxophone and wants to be a professional player. She's been learning it from her father for three years and now, she's a better player than him. Last week, her father found a professional player living in their town who could teach her. Tomorrow, she's going to the first lesson.

Question: What will Nancy do tomorrow?

訳 ナンシーはサックスを吹くのが大好きで，プロの奏者になりたいと思っている。彼女は父親から3年間それを習っているが，今では彼よりもうまくなっている。先週，彼女の父親は，同じ町に住み，彼女を指導することが可能なプロ奏者を見つけた。明日，彼女は初めてのレッスンに行く予定だ。

質問：ナンシーは明日，何をするか。

▶ *1* 父親からサックスの演奏を習う。
  2 その楽器の演奏の仕方を生徒に教える。
  3 プロの演奏家のレッスンを受ける。
  4 サックスを練習するために別の都市へ行く。

No. 25 　正解　2

Students, I have an announcement to make. I have to attend a seminar in Los Angeles this weekend, so there won't be class on Friday. To keep you busy, I'm giving you homework. The details are on this sheet of paper. Please turn it in by Wednesday next week.

Question: What do the students have to do?

訳 生徒の皆さん，お知らせがあります。今週末，私はロサンゼルスでのセミナーに出席しなければなりませんので，金曜日に授業はありません。暇を持て余さないように，君たちに課題を出します。詳細はこちらの紙に記載されています。来週の水曜日までに提出してください。

質問：生徒たちは何をしなければならないか。

▶ *1* 今週末，ロサンゼルスへ行く。
  2 水曜日までに課題を提出する。
  3 金曜日の授業に出席する。
  4 セミナーで演説をする。

No. 26 　正解　3

Last weekend, Miki and her friend Yuka went camping for the first time. It took more than an hour just to put up their tent. They made curry and rice, but the rice was too soft. Still, they thought they had a really good time and decided to go again this weekend.

Question: What are Miki and Yuka going to do this weekend?

訳 先週末，ミキと友人のユカは初めてキャンプに行った。テントを張るだけで1時間以上かかった。彼女たちはカレーライスを作ったが，ご飯がやわらかすぎた。それにもかかわらず，彼女たちはとても楽しく過ごしたと思っていて，今度の週末にまた行くことに決めた。

質問：今度の週末，ミキとユカは何をする予定か。

▶ *1* カレー屋で外食する。
  2 キャンプ旅行のために新しいテントを買う。
  3 もう一度，一緒にキャンプに行く。
  4 ミキのアパートで夕食を食べる。

No. 27 　正解 　2

Sota is interested in Africa. He recently learned that French is spoken in many countries in the area, so he started to study the language. He thinks the French language is difficult to pronounce. Now, he's learning its pronunciation using his smartphone. He hopes to visit some African countries in the near future.

Question: What does Sota want to do in the future?

訳　ソウタはアフリカに興味がある。彼は最近，その地域の多くの国でフランス語が話されていることを知ったので，その言語を勉強し始めた。彼はフランスの言葉は発音するのが難しいと思っている。現在，彼はスマートフォンを使ってその発音を学んでいる。近い将来，アフリカの国々を訪れたいと彼は思っている。

質問：ソウタは将来，何をしたいか。

▶ *1* 新しいスマートフォンを買う。
　 2 アフリカの国々を訪れる。
　 3 アフリカで日本語を教える。
　 4 言語を学ぶためにフランスへ行く。

No. 28 　正解 　3

Queenstown is a famous tourist destination on the South Island of New Zealand. It attracts a large number of people from all over the world, all year round, especially in winter. The area is known for its high-quality snow. Many ski lovers in Japan visit there, while it's summer in their country.

Question: What is one thing that we learn about Queenstown?

訳　クイーンズタウンはニュージーランドの南島にある有名な観光地である。一年中，特に冬に，世界中からやってくる大勢の人々を惹きつけている。その地域は雪質が大変よいことで知られている。日本の多くのスキー愛好者は，自分の国が夏の間，そこを訪れる。

質問：クイーンズタウンについてわかることは何か？

▶ *1* 観光客は冬にだけ訪れる。
　 2 ニュージーランドの北島にある。
　 3 多くの日本人スキーヤーがそこに行く。
　 4 雪質が平均的である。

No. 29 　正解 　4

Good afternoon, everyone. Welcome to the walking tour of the city of Madrid. My name is Alfonso. We're visiting several historic sites including the Royal Palace and the Central Plaza. Now, it's two o'clock, and we'll be back to this starting point around four. OK, let's start.

Question: What is one thing that the tour guide says?

訳　こんにちは，皆さん。マドリードの街歩きツアーへようこそ。私はアルフォンソです。王宮とセントラル・プラザを含め，数か所の史跡を訪れる予定です。現在2時ですが，4時ごろにこのスタート地点に戻ります。では，出発しましょう。

質問：ツアーガイドが言っていることは何か。

▶ *1* ツアーは2時ごろに終了する。
　 2 バスで王宮に行く。
　 3 セントラル・プラザで昼食が提供される。
　 4 スタート地点に戻って来る。

No. 30 　正解 　2

Last year, Taku went to a small town in the U.S. to study English. At first, he thought it was not really an exciting place. After a few weeks, though, he came to like the town. People were really nice and friendly, and he was able to experience many things that were totally new to him.

Question: What was one thing that Taku liked about the town?

訳　昨年，タクは英語を学ぶために，アメリカ合衆国の小さな町へ行った。彼は最初，あまりおもしろそうな場所じゃないと思った。けれども，数週間後，彼はその町が好きになっていた。人々はとても親切で好意的であったし，彼にとって全く新しい多くのことを経験することができた。

質問：タクがその町で気に入ったことは何か。

▶ *1* 騒々しい通りがない。
　 2 人々が付き合いやすい。
　 3 したいと思うことが何でもできた。
　 4 空気がとてもきれいだった。

練習問題

問題カード　　下の四角の枠内が受験者に渡される情報です。

Making Your Own Food

Nowadays, there are many recipe sites on the internet. Cooking schools and books for beginners are also popular. Many people think it's important to eat healthy food, so they want to cook their own food. However, some people also eat out almost every day because they are so busy with work.

A　　　　　　　　　B

Questions(質問)

No. 1　According to the passage, why do many people want to cook their own food?

No. 2　Now, please look at the people in Picture A. They are doing different things. Tell me as much as you can about what they are doing.

No. 3　Now, look at the woman in Picture B. Please describe the situation.
Now, Mr. / Ms. _____, please turn the card over and put it down.

No. 4　Do you think it is a good thing for elementary school students to use the internet?
Yes. → Why?　　　**No.** → Why not?

No. 5　These days, many students do various types of volunteer work. Do you often do some volunteer work?
Yes. → Please tell me more.　　　**No.** → Why not?

111

問題カードの日本語訳

料理を自分で作ること

最近，インターネットには，レシピのサイトがたくさんある。初心者向けの料理教室や本も人気だ。多くの人々は，健康にいいものを食べることが大切だと考えているので，彼らは，（自分で）自分が食べるものを料理したいと思っている。しかしながら，仕事がとても忙しくて，ほとんど毎日外食をする人々もいる。

質問の日本語訳

No.1 この文によると，多くの人々はなぜ，自分が食べるものを料理したいと思っているのですか。

No.2 では，Aのイラストの人々を見てください。彼らはさまざまなことをしています。彼らが何をしているか，できるだけたくさん私に説明してください。

No.3 では，Bのイラストの女性を見てください。その状況を説明してください。
さて，〜さん，カードを裏返して置いてください。

No.4 小学生がインターネットを使うことはよいことだと思いますか。
はい。→ なぜですか。
いいえ。→ なぜですか。

No.5 最近，多くの生徒たちがさまざまなタイプのボランティアの仕事をしています。あなたはよくボランティアの仕事をしますか。
はい。→ もっと説明してください。
いいえ。→ なぜですか。

解答例

No. 1（例）**Because they think it's important to eat healthy food.**

No. 2（例）**A girl is closing the curtain. / A boy is washing dishes[plates]. / A boy is using a computer[surfing the internet]. / A woman is hanging a calendar on the wall. / A man is taking off[putting on] his jacket.**

No. 3（例）**She can't read her book because the two boys are talking too loudly.**

No. 4 Yes. →（例）**Using the internet can help elementary school students study. For example, they can watch videos of animals they study in science class.**
No. →（例）**Using the internet is fun, so elementary school students might use it too much, and they might not have enough time to study. There are also some web sites that aren't good for kids.**

No. 5 Yes. →（例）**I'm in the volunteer club at my high school. We clean up parks and help older people at nursing homes.**
No. →（例）**I'm on the volleyball team, and we practice almost every day, so I don't have time to volunteer. But I'd like to try it during my winter vacation.**

解答例の日本語訳

No.1 彼らは，健康にいいものを食べることが大切だと考えているからです。

No.2 女の子がカーテンを閉めています。／男の子が皿を洗っています。／男の子がコンピュータを使っています［インターネットをしています］。／女性が壁にカレンダーを掛けています。／男性がジャケットを脱いで［着て］います。

No.3 2人の少年がとてもうるさくしゃべっているので，彼女は本が読めません。

No.4 はい。→インターネットを使うことは，小学生の勉強の役に立ちます。例えば，理科の授業で学んだ動物の動画を見ることもできます。
いいえ。→インターネットを使うことはおもしろいので，小学生はそれを使いすぎて，勉強する時間がなくなるかもしれません。また，インターネットには子どもによくないサイトもあります。

No.5 はい。→私は，高校のボランティアクラブに入っています。私たちは公園を掃除したり，老人ホームでお年寄りを手助けしたりしています。
いいえ。→私はバレーボール部に入っていて，ほとんど毎日練習があるので，ボランティアをする時間がありません。でも，冬休みにボランティアをやってみたいと思います。

記入上の注意（記述形式）
・指示事項を守り，文字は，はっきりわかりやすく書いてください。
・太枠に囲まれた部分のみが採点の対象です。

5 ライティング解答欄　Ｅメール

5

10

15

記入上の注意（記述形式）

・指示事項を守り，文字は，はっきりわかりやすく書いてください。

・太枠に囲まれた部分のみが採点の対象です。

6 ライティング解答欄 英作文

5

10

15

模擬試験 解答用紙

解答欄

問題番号	1 2 3 4
(1)	① ② ③ ④
(2)	① ② ③ ④
(3)	① ② ③ ④
(4)	① ② ③ ④
(5)	① ② ③ ④
(6)	① ② ③ ④
(7)	① ② ③ ④
(8)	① ② ③ ④
(9)	① ② ③ ④
(10)	① ② ③ ④
(11)	① ② ③ ④
(12)	① ② ③ ④
(13)	① ② ③ ④
(14)	① ② ③ ④
(15)	① ② ③ ④

(問題番号 1)

解答欄

問題番号	1 2 3 4
(16)	① ② ③ ④
(17)	① ② ③ ④
(18)	① ② ③ ④
(19)	① ② ③ ④
(20)	① ② ③ ④
(21)	① ② ③ ④
(22)	① ② ③ ④
(23)	① ② ③ ④
(24)	① ② ③ ④
(25)	① ② ③ ④
(26)	① ② ③ ④
(27)	① ② ③ ④
(28)	① ② ③ ④
(29)	① ② ③ ④

(問題番号 2, 3, 4)

リスニング解答欄

第1部

問題番号	1 2 3 4
No.1	① ② ③
No.2	① ② ③
No.3	① ② ③
No.4	① ② ③
No.5	① ② ③
No.6	① ② ③
No.7	① ② ③
No.8	① ② ③
No.9	① ② ③
No.10	① ② ③

リスニング解答欄

第2部

問題番号	1 2 3 4
No.11	① ② ③ ④
No.12	① ② ③ ④
No.13	① ② ③ ④
No.14	① ② ③ ④
No.15	① ② ③ ④
No.16	① ② ③ ④
No.17	① ② ③ ④
No.18	① ② ③ ④
No.19	① ② ③ ④
No.20	① ② ③ ④

リスニング解答欄

第3部

問題番号	1 2 3 4
No.21	① ② ③ ④
No.22	① ② ③ ④
No.23	① ② ③ ④
No.24	① ② ③ ④
No.25	① ② ③ ④
No.26	① ② ③ ④
No.27	① ② ③ ④
No.28	① ② ③ ④
No.29	① ② ③ ④
No.30	① ② ③ ④